LES MOISSONS DE LA COLÈRE

À ceux qui doutent.

Introduction

Le journalisme peut parfois être une école de la frustration. Combien de bouteilles lancées à la mer qui, des mois durant, voguent avant d'être tout à fait englouties par les flots ? Du moins le croit-on. « Attends Charles, on a décroché Viktor Orbán, on l'interviewe demain ! » Le message est signé Emmanuel Berretta, mon confrère du *Point*, sans doute le meilleur spécialiste de la machine européenne et de ses rouages infinis. Voilà des mois que nous courrons derrière cet entretien du Premier ministre hongrois. Lui à Bruxelles et Strasbourg, moi à Budapest et Paris. Cultivant une parole rare, voilà dix ans qu'il ne s'était pas exprimé dans un média français. Nous avons frappé à tellement de portes qu'il nous est impossible, à vrai dire, de déterminer celle qui fut la bonne ou la plus décisive.

Rendez-vous est donné à 19 h 30 au Ritz, à Paris. Le temps est compté. Le Premier ministre hongrois a rendez-vous une heure plus tard à l'Élysée, pour dîner en tête-à-tête avec Emmanuel Macron. Au menu de leurs agapes, la préparation d'un Conseil européen sous haute tension, consacré à la situation ukrainienne. L'indocile Magyar menace de bloquer une initiative politique et financière en soutien au pays envahi. Une fois de plus, ses positions braquent sur lui les yeux de toutes les capitales européennes. Devant le palace, je ne ressens ni le froid, ni la bruine qui tourbillonne place Vendôme. Trop occupé à sélectionner et reformuler en anglais pour la dixième, la cinquantième fois peut-être, la quinzaine de questions que je projette de poser à celui que l'on surnomme « l'enfant terrible » de l'Union européenne.

Dans le hall, un comité d'accueil au garde-à-vous dénote quelque peu avec la clientèle habituelle de l'établissement. Un brin anxieux, un membre de l'ambassade de Hongrie nous installe dans les salons de la suite 241, aile Chaplin. Son avion tout juste posé sur le tarmac, Viktor Orbán apparaît, affable, s'enquérant de l'ambiance, ici, à Paris. Lorsqu'est mentionnée la recrudescence de l'antisémitisme, provocateur il lâche dans un sourire : « Inutile de vous demander de qui provient ce nouvel antisémitisme, j'imagine ? » La conversation roule sur son opposition opiniâtre à toute adhésion de l'Ukraine à l'Union européenne. La semaine suivante, il préférera quitter la table plutôt que de prendre part à la décision des vingt-six autres chefs d'États européens d'ouvrir les négociations en ce sens.

Mais c'est aussi sur un tout autre sujet que nous voulons l'entendre. Sa conception de l'Union européenne, les valeurs qui, selon lui, la fondent si ce n'est « l'État de droit » et son analyse sur cette dynamique inédite qui souffle dans les voiles des différents mouvements nationalistes d'un bout à l'autre de l'Europe. Après avoir chroniqué cinq ans durant pour le *Figaro* la vie des nationalistes français, voilà un an que *Le Point* m'a offert l'opportunité de sillonner le continent, pour m'intéresser partout à leurs homologues européens. Ces autres partis nationalistes qui, ces dernières années, ont multiplié par deux, trois, dix parfois, leurs résultats dans les urnes. Une dynamique qui, si elle n'est pas nouvelle, s'est considérablement accélérée depuis trois ans. Jusqu'à provoquer une révolution notable : ces forces ne se contentent plus de se rapprocher du pouvoir. Elles le conquièrent bel et bien.

« Dans de nombreux pays européens, la voix du peuple n'est ni entendue, ni respectée. Nous observons une sorte de déficit démocratique qui profite aux partis qui ne font pas partie de l'élite libérale », analyse devant nous le chantre de l'illibéralisme, non sans savourer comme un parfum de victoire. Pointé du doigt hier comme le chef d'un irréductible village « rustre » et « turbulent » condamné aux marges politiques du continent, le sexagénaire sourit en dénombrant ses alliés qui gagnent le pouvoir, ou sont en passe de le faire, jusque dans les pays fondateurs de l'Union européenne. À six mois des élections européennes, celui qui s'est hissé grâce à son antériorité comme le chef de file des forces nationalistes en Europe en est persuadé : « Nous avons de bonnes chances de gagner. L'Union européenne n'a rempli ni sa promesse de paix, ni celle d'améliorer le bien-être. C'est le moment pour les partis de droite non traditionnelle de dire : "Merci les gars, mais c'est à nous de prendre le pouvoir et de diriger l'Europe". »

Comme un écho aux propos lâchés, un jour de 2021, au sortir d'un sommet européen par Emmanuel Macron : « Si ça continue, nous serons minoritaires au Conseil européen… » Le Président français, qui n'aime rien de plus qu'endosser le costume de chef de file des forces « progressistes » en Europe, n'a alors pas été pris au sérieux. Et pourtant. Les capitales européennes tombent depuis lors les unes après les autres dans l'escarcelle de forces politiques nouvelles. Elles sont nationalistes, eurocritiques et le plus souvent conservatrices. D'aucuns diraient d'« extrême droite ». Rien que depuis septembre 2022, elles ont pris le pouvoir en Suède, jadis paradis social-démocrate ; en Finlande, temple de la modération politique ; et surtout en Italie, pays fondateur de l'Union européenne où Giorgia Meloni supplante comme aucun de ses prédécesseurs la totalité de la classe politique.

L'irrésistible vague n'en finit pas de déferler. Aux Pays-Bas, où après avoir fait du parti d'essence populiste BBB, issue d'une contestation des agriculteurs contre les normes environnementales européennes, la première force du pays en mars 2023, les électeurs ont choisi de remplacer le « jumeau » d'Emmanuel Macron, Mark Rutte, par le nationaliste Geert Wilders, arrivé en tête des élections législatives en novembre dernier avec sa formation anti-islam, le Parti pour la liberté (PVV). Au Portugal, le parti Chega a vu son score multiplié par dix en trois ans, passant de 1,29 % des voix en 2019 à 12 % l'an passé. Les sondages en vue des élections européennes de 2024 le créditent de près de 17 %. Comme ils promettent 30 % des suffrages aux nationalistes autrichiens du FPÖ, 33 % à ceux du PiS polonais ou encore 22 % aux Allemands de l'AfD. Les exemples se multiplient et se ressemblent. Quand en France, le Rassemblement national, annoncé largement en tête aux élections européennes, n'a jamais paru aussi proche du pouvoir.

Il existe, bien sûr, des exceptions. En Pologne, où l'usure du pouvoir et la coalition de la quasi-totalité des forces d'opposition ont conduit à mettre fin à neuf ans de règne du parti nationaliste Droit et justice. En Espagne, où le mouvement national-conservateur Vox a essuyé une sérieuse contre-performance aux législatives, quelques mois seulement après avoir doublé son score aux élections municipales et régionales dans le pays. Il ne s'agit en aucun cas de les éluder ici. Ces échecs seront, bien au contraire, disséqués dans les pages qui suivent. Il n'empêche. La puissance de fond qui porte, partout en Europe, ces forces nationalistes, la similitude de leurs ressorts d'un État membre à l'autre, la ressemblance des phénomènes observés qu'importent les frontières, les modes de scrutin ou les histoires nationales particulières, tout ceci interroge.

Elles font penser à ces grands mouvements européens qui, plusieurs fois par siècle, balayent irrésistiblement le continent et déterminent profondément son évolution politique pour les décennies à venir. Après le Printemps des peuples de 1848, la vague révolutionnaire communiste de 1917, la déferlante totalitaire des années 1930 et le mouvement libertaire issu de mai 1968, quel nom sera donné à ce qui surgit sous nos yeux, comme une nouvelle moisson de la colère ? Et surtout, quelles en seront les conséquences ?

Dans les rangs de la gauche européenne, on s'effraie jusqu'à dresser un dangereux parallèle avec l'entre-deux-guerres. N'est-ce pas, déjà, le « bruit des bottes » que l'on entend imperceptiblement résonner d'un bout à l'autre de l'Europe ? La droite, quant à elle, croit surtout percevoir le plus important défi qui lui ait jamais été donné de relever. Avec la promesse de disparaître en cas d'échec ? C'est la culpabilité qui saisit plutôt les forces libérales et du centre : en précipitant un nouveau clivage les opposant aux forces populistes, ne les ont-elles pas tout simplement installées en force d'alternance, dont l'heure viendrait de sonner ? Pour tenter de répondre à ces questions, j'ai parcouru une bonne partie des pays de l'Union européenne. J'ai observé, questionné, vérifié, traduit pour comprendre quels étaient les ressorts de ces forces nationalistes. Quelles étaient leurs singularités, leurs points communs, leur complicité parfois, leurs rivalités souvent et, toujours, leurs ambitions. Voilà ce que j'ai vu.

1.

Vous avez dit « extrême droite » ?

Comme un printemps de préfixes dans un désert sémantique. La victoire de la coalition de droite en Italie, en septembre 2022, avec en tête de proue la formation de Giorgia Meloni, Fratelli d'Italia, a donné lieu, en France comme dans nombre de capitales européennes, à un curieux affolement linguistique. Responsables politiques, journalistes, universitaires se sont surpris un moment certain à tâtonner sur la délicate qualification de la nouvelle force dirigeante italienne. « Post-fasciste », comme le soutenaient les uns ? « Néofasciste », comme le préféraient les autres ? Dans un esprit de concorde supérieur, d'aucuns sont allés jusqu'à défendre une forme d'en même temps un brin barbare avec le terme de « post-néofasciste ». Avant que l'expérimentation ne fasse finalement long feu. L'écrasante majorité se retranchera en définitive sur le pratique, plus usuel, mais terriblement flottant terme d'« extrême droite ». Toujours lui.

Qu'importe que cette cote mal taillée renvoie aujourd'hui aussi bien à un totalitarisme génocidaire du XXe siècle, un parti de gouvernement respectueux des instances démocratiques ou des groupuscules violents qui au contraire les dénigrent… Quel que soit le pays, quelle que soit la spécificité de la force politique en présence, si elle appartient à un certain côté maudit de l'échiquier, l'étiquette d'« extrême droite » paraît indépassable. Elle est un passage obligé pour qui est amené à en parler. Le terme d'« extrême droite » n'aura pourtant pas sa place dans le présent ouvrage consacré aux forces nationalistes en Europe. Il ne sera pas plus question d'ultra, post ou néo-fascisme. Nulle coquetterie, ni effronterie ici. Mais l'aveu d'un parti pris : ce qui n'est pas énoncé clairement se conçoit, somme toute beaucoup, moins aisément…

Pour rester en Italie, l'exemple du parti de Giorgia Meloni, Fratelli d'Italia, est éloquent. Son ascension fulgurante dans les urnes – passant de 4 % en 2018 à 22 % des suffrages exprimés moins de quatre ans plus tard – a eu pour effet d'exhumer en France comme en Europe le qualificatif de « fasciste », largement tombé en désuétude ces dernières années faute de combattants. Si ce n'est dans certaines marges ultra-minoritaires du paysage politique européen. Le fascisme, « c'est à la fois le totalitarisme, la militarisation et la volonté impérialiste », définit l'historien de référence, Emilio Gentile[1]. Ce retour terminologique s'explique par la filiation historique du mouvement italien. Fondé en 2012, le parti est issu d'une fraction du mouvement Alliance nationale. Lui-même né, en 1995, d'une refondation plus modérée et plus libérale du Mouvement social italien (MSI), héritier direct du parti national fasciste de Benito Mussolini. De cette filiation avec le MSI, le mouvement

1. E. Gentile, *Qu'est-ce que le fascisme ? Histoire et interprétation*, Paris, Gallimard, 2004.

Fratelli d'Italia a d'ailleurs conservé l'emblème : la flamme tricolore. Symbole, tout sauf anodin, dont s'est également pourvu par mimétisme, en France, le Front devenu Rassemblement national, lors de sa création en 1972.

Mais qu'en est-il des idées ? La plateforme programmatique et idéologique de Fratelli d'Italia dans sa forme actuelle a été arrêtée lors d'un congrès du mouvement à Trieste en 2017. N'y subsiste plus aucun marqueur du fascisme. « Leur programme actuel est celui d'un parti nationaliste, conservateur et libéral. Le fascisme historique est mort après les deux guerres mondiales. Il n'existe plus électoralement », reconnaît Christophe Bouillaud, professeur de sciences politiques à l'Institut d'études politiques de Grenoble. D'un point de vue institutionnel, le fascisme se définit contre l'idéologie démocratique et par l'institution d'un parti unique. Fratelli d'Italia s'inscrit au contraire dans le jeu démocratique, a participé à toutes les élections depuis sa création sans contester le résultat d'aucune d'entre elles.

Le fascisme est totalitaire en ce qu'il mène à une « domination politique mise en œuvre par un mouvement révolutionnaire et organisée par un parti à la discipline militaire, qui aspire au monopole du pouvoir et à la conquête même de la société. C'est-à-dire la subordination et l'homogénéisation des gouvernés », enseigne encore Emilio Gentile[1]. Ce qui va de pair

---

1. E. GENTILE, *Fascisme, totalitarisme et religion politique : Définitions et réflexions critiques sur les critiques d'une interprétation*, dans *Raisons politiques* n° 22, Paris, Presses de Sciences Po, 2006.

avec un étatisme tout puissant et une politique économique dirigiste. Là encore, rien de commun avec ce que porte le mouvement de Giorgia Meloni, qui se dépeint volontiers comme libérale, jusqu'à faire de la baisse des charges et des taxes pour les entreprises la clé de voûte de son programme en matière économique. Chercher à y déceler un nouveau fascisme relève, au mieux, d'un contresens. Le terme de « néo-fascisme », qui désigne les mouvements d'inspirations fascistes nés après la Seconde Guerre mondiale est impropre pour qualifier Fratelli d'Italia. Le terme ne lui a d'ailleurs jamais été accolé par la presse italienne. Contrairement à d'autres mouvements italiens, tels que Casapound, eux-mêmes particulièrement virulents à l'encontre de Fratelli d'Italia et de sa cheffe de file.

L'emploi du terme « post-fasciste » pose une autre question. Peut-être la seule qui vaille. Celle de la pertinence d'essentialiser et d'assigner un parti politique à ses seules filiations historiques. Et ce, qu'importent les revirements idéologiques postérieurs opérés, ou le renouvellement plus ou moins complet de ses cadres. C'est toute l'interrogation soulevée dès 1996, par le politologue néerlandais, Cas Mudde, dans son article de référence « *The Extreme Right Party Family*[1] ». « Cas Mudde explique qu'une des manières de classer les partis par famille politique est d'analyser leur programme, une autre est de regarder d'où ils viennent, au risque de les enfermer dans ce qu'ils étaient au point de départ et en minorant les évolutions », analyse le

1. C. MUDDE, « *The Extreme Right Party Family* », dans *West European Politics*, Londres, Frank Cass, 1996.

politologue et directeur de l'Observatoire des radicalités politiques, Jean-Yves Camus. « Cette approche essentialiste, que Mudde combat, est évidemment fausse. » Elle ne secouera pas moins vigoureusement la Suède à l'automne 2022, peu avant l'arrivée en tête des élections générales dans le pays des Démocrates suédois. Le parti fut fondé à la fin des années 1980 par d'authentiques néo-nazis, tels qu'Anders Klarström[1]. Avant qu'il n'entreprenne un profond *aggiornamento* dans les années 2000.

La question n'est pas moins redondante en France. Comme l'a illustré, au printemps 2023, la flèche de la Première ministre Elisabeth Borne décochée à l'encontre du Rassemblement national, qualifié de « parti héritier de Pétain ». Le FN de Jean-Marie Le Pen a en effet été cofondé, en 1972, par Pierre Bousquet, ex-Waffen SS de la Division Charlemagne qui en deviendra le trésorier, et l'ex-milicien et collaborateur François Brigneau[2], qui en deviendra le premier vice-président. Ce qui n'empêchera pas le chef de l'État de recadrer sa Première ministre en plein Conseil des ministres – ce qui équivaut peu ou prou à le faire en place publique – sur l'inanité d'une telle argumentation contre ce qui est devenu, soixante-dix ans après la Seconde Guerre mondiale, le premier parti d'opposition. Mais repassons de l'autre côté des Alpes.

1. Lire notamment S. LARSSON & M. EKKMAN, *Sverigedemokraterna : den nationella rörelsen*, Stockholm, Ordfront, 2001.

2. Pierre Bousquet qui a quitté le FN en 1980, est mort en 1991. François Brigneau, décédé en 2012, avait quitté le FN pour le PFN dès 1974.

L'expression « post-fasciste » est née lors de la création du Mouvement social italien en 1948, qui avait alors pour slogan « ne pas nier, ne pas restaurer ». En clair, elle traduit une volonté de s'inscrire dans la continuité des politiques sociales portées par le fascisme tout en faisant le droit d'inventaire du régime. Une démarche dans laquelle s'inscrit Giorgia Meloni lors de ses premiers pas en politique, dans les années 1990. Âgée d'une quinzaine d'années, la militante de la branche jeunesse du MSI, déclare ainsi à propos de Benito Mussolini : « C'était un bon politicien. Tout ce qu'il a fait, il l'a fait pour l'Italie. » Trente ans plus tard, le ton n'est plus le même. A eu lieu, depuis longtemps déjà, la « *Svolta di Fiuggi* » : la dissolution du MSI par son secrétaire général, Gianfranco Fini, pour créer Alliance nationale. Un nouveau mouvement débarrassé de toute référence au fascisme. C'est dans ses pas que s'inscrit Giorgia Meloni lorsqu'à l'été 2022, elle assure dans une vidéo postée sur les réseaux sociaux en italien, français, anglais et espagnol : « Cela fait des années que la droite italienne a envoyé le fascisme aux oubliettes de l'histoire, et condamné sans ambiguïté la suppression de la démocratie et les infâmes lois antijuives. » Des propos tenus peu après avoir déclaré, dans la presse italienne, que les « nostalgiques » du régime du « *Duce* » n'avaient pas leur place au sein de sa formation.

Le qualificatif de « post-fascisme », qui ne décrit en rien l'idéologie ou l'identité actuelle du mouvement Fratelli d'Italia, a donc pour fonction de rappeler sa filiation avec une histoire réelle mais révolue. Il la réduit à une nostalgie, à un héritage antidémocratique qui n'a plus cours. « C'est un peu comme qualifier les partis démocrates de partis post-communistes, parce que leurs cadres étaient communistes dans les années 1980 », compare le politologue de l'université Luiss à Rome, Giovanni Orsina. Or, comment comprendre la route que trace une formation politique, en l'occurrence celle où elle entend mener son pays, en ayant les yeux rivés sur le rétroviseur ? Comment expliquer la multiplication par cinq de son électorat ces trois dernières années, en usant d'éléments de définition tous vieux de plus de vingt ans ?

Un procès analogue peut être intenté au si commode et usité terme d'« extrême droite ». Lui aussi a pour objet plus ou moins assumé d'assimiler des forces politiques contemporaines aux fantômes des totalitarismes fascistes et nationaux-socialistes du XXe siècle. À ceci près qu'il se révèle à la fois plus flou et ô combien plus subjectif. Un rapide examen permet de dénombrer au moins une vingtaine de définitions différentes du terme « extrême droite ». Une enquête plus approfondie pourrait aussi bien en déceler quarante ou cent. C'est le propre des « mots-valise ». Chacun y met à peu près ce qu'il veut lorsqu'il l'emploie. Une observation qui faisait déjà dire en 1995 à l'historienne Ariane Chebel d'Appollonia[1] : « Le terme a été appliqué à tant d'opinions ou de programmes politiques différents qu'une signification claire et acceptée par tous reste aléatoire. »

Historiquement, les critères de définition les plus redondants sont le chauvinisme, un discours autoritariste,

1. A. Chebel d'Appollonia, *L'extrême-droite en France : de Maurras à Le Pen*, Bruxelles, Éditions Complexe, 1998.

un nativisme mâtiné de crainte d'un effondrement démographique et, surtout, le rejet du modèle démocratique comme de ses institutions, exprimé notamment par un antiparlementarisme radical quand ce n'est pas une volonté d'obtenir le pouvoir par la force. Des critères difficilement applicables aux forces nationalistes auxquelles est consacré le présent ouvrage.

Si Fratelli d'Italia critique le régime parlementaire italien, c'est pour lui substituer un régime présidentiel où le chef de l'État serait élu au suffrage universel direct. Nombre de ses contempteurs ou observateurs à gauche de l'échiquier politique n'ont pas manqué d'y lire un des marqueurs caractéristiques de l'« extrême droite ». Docteur de l'université de Cambridge et enseignante à Sciences Po Paris travaillant sur l'impact du populisme sur la politique étrangère des États membres de l'Union européenne, Hanna Corsini tempère : « Ce que propose Fratelli d'Italia revient, en substance, de passer d'un régime proche de ce qu'était la IVe République en France à l'actuelle Ve République. On ne peut pas dire que le modèle français soit une dictature. » Pour ce qui est du FN, devenu Rassemblement national, en France, son appel depuis les années 1970 à l'instauration d'une proportionnelle intégrale aux élections législatives va au contraire dans le sens de davantage de parlementarisme. Étant entendu, qu'en cinquante ans d'existence, le mouvement a participé à la totalité des scrutins démocratiques sans jamais en contester ni la tenue, ni les résultats.

Pour tenter de revitaliser le terme fatigué d'« extrême droite » et lui donner une profondeur universitaire dont il était dénué, plusieurs observateurs et chercheurs – dans le sillon du sociologue Alain Bihr – ont prêté à l'« extrême droite » une conception « organiciste » du monde. Celle-ci, selon eux, aurait ainsi la particularité d'appréhender la nation comme un « organisme vivant », qu'il faudrait protéger des maux de la « décadence » en luttant contre les agents pathogènes qui en seraient la cause. L'historien Nicolas Lebourg, chercheur au Centre d'études politiques et sociales de Montpellier analysait ainsi en 2021, dans *Le Monde* : « Le vœu d'une communauté en solidarité organique pousse à absolutiser les différences entre nations, races, individus, cultures, et à rejeter tout universalisme au bénéfice de l'autophilie – la valorisation du "nous" – articulée à l'altérophobie – le rejet de "l'autre", par permutation entre l'ethnique et le culturel[1]. »

Outre son intellectualisme, cette définition pose une autre difficulté. L'« organicisme » n'est en rien le monopole de l'« extrême droite », comme le souligne le politologue et président de l'Observatoire des radicalités politiques de la Fondation Jean Jaurès, Jean-Yves Camus : « L'organicisme renvoie à toute conception catholique de la société, selon laquelle elle constitue un être collectif et vivant, une société politique, dont les composantes se complètent et dont l'objectif, supérieur au droit des individus, est le Bien commun. Et non une construction, faite d'individus dotés d'abord de droits, incidemment de devoirs, et unis par un contrat. »

1. F. JOHANNÈS, « Nicolas Lebourg : "L'extrême droite est une vision du monde, pas un programme" », *Le Monde*, 2021.

Là est finalement le problème premier du terme galvaudé d'« extrême droite » : sa subjectivité. Ses contours flous, la succession de définitions et d'acceptations différentes qui ont pu être colportées par les uns ou par les autres, font qu'il est impossible de savoir précisément ce qu'il recouvre. Sauf à se lancer, chaque fois, dans un laborieux travail de déduction en fonction de qui l'emploie. L'actuel premier secrétaire du Parti socialiste, Olivier Faure, n'a-t-il pas qualifié l'ancien Premier ministre socialiste de François Hollande, Manuel Valls, d'être d'extrême droite ? Comment faut-il l'entendre ?

La palme revient sans conteste à l'ancien Premier ministre d'Emmanuel Macron, Édouard Philippe, qui lors d'une conférence organisée par la revue de référence *Grand continent*[1], en juin dernier à la Sorbonne à Paris, a pu marteler avec autorité qu'« il n'est pas une différence de degré entre la droite et l'extrême droite, mais bien de nature ». C'est entendu. Mais pourquoi diantre, dans ce cas, continuer de définir ces forces comme d'une droite « extrême » ? La charge symbolique attachée au terme d'« extrême droite », son usage comme un anathème à des fins purement militantes, rend inconfortable pour ne pas dire incompatible son usage à des fins strictement journalistiques. Les ambitions de précision et de compréhension commandent donc d'employer ici ni le terme d'« extrême droite », ni celui de « fascisme » quel que soit le préfixe qui pourrait lui être accolé.

1. Revue fondée en 2019 et éditée par le Groupe d'études géopolitiques (GEG), centre de recherche indépendant reconnu d'intérêt général domicilié à l'École normale supérieure.

Reste à définir ces forces européennes par des termes qui, sans nier leurs filiations historiques, renseignent sur leurs matrices idéologiques contemporaines et la spécificité de leur offre politique les unes par rapport aux autres. Toutes se rattachent à la vaste famille nationaliste. Celle-ci plonge ses racines dans la fin du XVIIIe siècle, dans ce qui était alors, ironie de l'histoire, l'essence même de la gauche : la lutte contre la royauté. Le nationalisme se caractérise par la conscience de former un ensemble cohérent et fini, la nation. Dont la terre, l'histoire, la culture, la langue et les traditions communes sont constitutives d'une identité propre qu'il s'agit d'exalter et de continuer.

L'intérêt national est perçu comme l'intérêt premier. Il est supérieur à tous les intérêts particuliers des membres ou communautés qui composent la nation. Il est supérieur aux intérêts des communautés transnationales auxquelles celle-ci peut appartenir. Il est immanquablement supérieur aux intérêts de toute autre nation. Au regard de leur projet politique, il existe de nombreux types de nationalismes. Depuis le début du siècle, deux principaux courants sont en dynamique en Europe, s'entraidant parfois jusqu'à se confondre. Mais sans être dénué d'antagonismes ni de rivalités : le national-populisme et le national-conservatisme.

Davantage que de la France de Vichy, c'est du mouvement poujadiste que tire ses origines, en France, le Front national. C'est sous les couleurs du parti-syndicat de Pierre Poujade, l'Union de défense des commerçants et artisans (UDCA), que son fondateur, Jean-Marie Le Pen, fut pour la première fois candidat et élu à l'Assemblée nationale, lors des élections législatives de 1956. Cet éphémère mouvement de révolte antifiscale des classes moyennes a servi de matrice au discours dont ne s'est jamais départi le parti à la flamme. Et ce, malgré sa patiente entreprise de « dédiabolisation » ou son récent changement de nom. Ce discours fondateur est celui de la révolte des « petits », de la plèbe ou peuple, contre les classes dirigeantes ou élites. Afin de devenir le réceptacle de la « souffrance d'une sous-France » en « insécurisation généralisée » comme le relevait dans sa définition du populisme l'historien des idées Pierre-André Taguieff[1].

Les difficultés à conceptualiser ce qu'est l'essence même du populisme a pu pousser divers auteurs à l'appréhender davantage comme un « style » que comme une identité idéologique finie. « Nous proposons de parler de styles populistes plutôt que d'un principe populiste définissable autour de catégories stables, déployé autour d'une série d'attributs », défend ainsi Gilles Gressani, président du Groupe d'études géopolitiques (GEG) et cofondateur de la revue *Grand continent*. « Ainsi envisagé, le populisme apparaît également comme une méthode de conquête du pouvoir dans des périodes d'instabilité. » L'ensemble des observateurs convergent cependant pour reconnaître le Rassemblement national comme le chef de file de la mouvance nationale-populiste, tant en raison de son antériorité que de son autorité en Europe. Mouvance à laquelle se rattachent volontiers la plupart des forces du groupe

1. P. A. Taguieff, *L'Illusion populiste*, Paris, Flammarion, 2000.

Identité et démocratie (ID) au sein du Parlement européen où siègent, outre le RN, la Ligue du Nord de l'italien Matteo Salvini ou l'AfD des Allemands Alice Weidel et Tino Chrupalla.

Tel est également le cas, à bien des égards, du Fidesz, la force du Premier ministre hongrois, Viktor Orbán[1]. L'homme fort d'Europe centrale a fait sien le style populiste, tant pour reconquérir le pouvoir en 2010, que pour s'y maintenir depuis lors. Ses attaques ont seulement changé de cible entre-temps. Brocardant les élites « corrompues » de son pays lorsqu'il était dans l'opposition, le Magyar instruit désormais continuellement le même procès aux élites de « Bruxelles » et de l'Union européenne. Dans les deux cas, l'homme use d'armes identiques et dépeint une même classe dirigeante « déracinée », déconnectée du « bon sens » qui serait la caractéristique du pays profond, et qu'il s'agit tout simplement de « renverser ». Un trait saillant de son parcours politique comme de ses méthodes de gouvernement – analysées dans les chapitres qui viennent – qui prennent largement le pas sur le fond du projet de société conservateur que porte le gouvernement hongrois. Un programme qui aurait pu le rattacher, s'il était fait abstraction de la façon choisie pour l'appliquer, à l'autre famille nationaliste particulièrement en dynamique en Europe : celle des nationaux-conservateurs à la tête desquels s'est installée pour un temps certain la cheffe de file de Fratelli d'Italia, Giorgia Meloni.

1. Lire sur ce point l'ouvrage de référence, C. DELSOL, *Histoire des idées politiques de l'Europe centrale*, Paris, Le Cerf, 2015.

Dans son autobiographie[1], traduite et publiée en France en septembre 2022, Meloni assure être « très inspirée » par les écrits de Roger Scruton, philosophe britannique et figure de la pensée conservatrice moderne. De fait, ses positions sur la famille dépeinte comme élément fondateur de la société, ses mesures de soutien à la natalité, son opposition aux réformes sociétales tendant à autoriser le recours à la procréation médicalement assistée (PMA) aux femmes homosexuelles ou seules comme à la gestation pour autrui (GPA) la classent indéniablement parmi les conservateurs européens. Sa volonté d'offrir une alternative à l'avortement – droit sur lequel elle ne souhaite pas revenir – en créant un fonds pour les femmes enceintes célibataires ou en situation de précarité, également. Autant de positions qu'il serait anachronique de rattacher au fascisme – soit dit en passant – puisqu'elles se réfèrent à des débats sociétaux largement postérieurs aux années 1930.

L'engagement de Giorgia Meloni à défendre « les racines judéo-chrétiennes » de l'Europe, dont elle tire une vision civilisationnelle, sa farouche opposition à l'immigration comme sa politique étrangère centrée sur la sauvegarde de l'intérêt national, tendent à la classer également parmi les nationalistes. Et vis-à-vis de l'Union européenne, la cheffe de file de Fratelli d'Italia se veut moins « eurosceptique » qu'« eurocritique », elle n'entend pas remettre en cause l'intégration européenne tant que celle-ci demeure une union de nations souveraines et non pas un ensemble fédéralisé. Se

1. G. Meloni, *Mon itinéraire*, Paris, Chöra, 2022.

revendiquant d'un certain « pragmatisme », la cheffe de file nationaliste a préféré délaisser les recettes de ses homologues populistes, particulièrement depuis son accession au pouvoir en Italie.

Plutôt que de s'inscrire dans un bras de fer avec les institutions européennes, de brocarder une « élite bruxelloise » tel un ennemi à terrasser, la nouvelle présidente du Conseil s'est fondue dans les institutions communautaires pour faire valoir les intérêts de son pays. Et ainsi se dégager de précieuses marges de manœuvre pour dérouler, au niveau national, son agenda politique. Une méthode de gouvernance disséquée par le menu dans les chapitres qui viennent. Autant d'éléments qui tendent à définir Giorgia Meloni, ainsi que son mouvement Fratelli d'Italia, comme national-conservateurs. À l'image de la majeure partie des formations européennes qui siègent, à Strasbourg, au sein du groupe des Conservateurs et réformistes européens (ECR), du Vox espagnol aux Démocrates de Suède.

Entre ces deux familles – nationale-populiste et nationale-conservatrice – existent nombre de ponts et un vécu commun. Toutes deux ont connu une forme d'ostracisation de la part du reste de la classe politique, comme une tentative médiatique d'affiliation aux totalitarismes génocidaires de la Seconde Guerre mondiale. Toutes deux ont capitalisé sur un même échec des forces politiques traditionnelles à répondre aux défis que pose l'immigration. Toutes deux s'érigent en « dernier rempart » d'une culture et d'un mode de vie traditionnel perçus comme « menacés d'extinction ». Une rivalité certaine existe et les divergences entre elles sont nombreuses. À la veille des européennes de juin 2024, un point les réconcilie cependant : la dynamique sans précédent qui souffle dans leurs voiles d'un bout à l'autre du continent.

2.
Le grand remplacement de la droite

Il y a la postérité, et ce qui finit par lui échapper. Malgré son quarantième anniversaire, la première coalition entre le principal parti de droite et une force nationaliste en France semble être définitivement tombée dans l'oubli. Aucun média ni responsable politique n'en fera mention ce jour de décembre 2023. L'épisode avait pourtant captivé le pays et interloqué nombre de ses voisins européens. Les yeux étaient alors tous braqués sur la victoire de l'inédite liste unissant RPR et FN, au second tour de cette municipale partielle de 1983 à Dreux, en Eure-et-Loir. Le concept de « cordon sanitaire » vient alors tout juste de faire son apparition en Europe. La droite française devient la première à vouloir le sectionner. Gaullistes et anti-gaullistes se réconciliant pour présider, ensemble, aux destinées d'une modeste commune de moins de 35 000 habitants, jusque-là dirigée par la gauche… L'équipée fera long feu mais restera sous l'appellation un brin tapageuse de « coup de tonnerre de Dreux ».

Si de ce « coup de tonnerre » il n'est guère plus question, c'est que la foudre n'a cessé de s'abattre, depuis lors, partout en Europe. Et de façon autrement plus pérenne qu'à Dreux. Ces vingt dernières années, seize États membres sur vingt-sept ont vu sur leur sol une force nationaliste participer à une coalition gouvernementale ou régionale. La chose s'est comme banalisée. En 2000, la première « alliance des droites » a pourtant bien failli faire imploser l'Union. Les capitales européennes rivalisent d'indignation lorsque, à Vienne, la droite conservatrice ÖVP décide, pour gouverner l'Autriche, de s'allier avec le turbulent FPÖ, une ancienne formation libérale reconvertie au nationalisme quelques années auparavant, sous l'influence de son dirigeant, le bretteur redouté Jörg Haider. À l'instigation de la France de Jacques Chirac, les institutions européennes menacent de cesser toute relation diplomatique avec le pays, réduisant à la portion congrue les échanges en signe de réprobation. La bouderie ne durera que quelques mois avant que le pragmatisme des relations internationales et des intérêts commerciaux biens compris ne se chargent de normaliser la situation. Au gré des années, l'exemple autrichien est pourtant entré dans les mœurs européennes. Jusqu'à faire tache d'huile vingt ans plus tard.

Chaque État européen a sa propre situation politique, singulière par bien des aspects. Reste qu'une même histoire semble se répéter d'un bout à l'autre du continent depuis deux ans. Un *pattern*, que les nationalistes autrichiens du FPÖ auront été les premiers à étrenner. Celui de l'« union des droites » qui, de Stockholm à Rome en passant par Helsinki, se révèle aujourd'hui gagnant. Les unes après les autres, les droites traditionnelles européennes, témoins de leur perte de vitesse électorale ou de celle de leurs alliés historiques centristes, ont décidé de renoncer aux digues qu'elles avaient elles-mêmes érigées contre les forces nationalistes. Afin de chercher dans leurs rangs d'indispensables forces d'appoint électorales. Et ainsi se maintenir au pouvoir ou le reconquérir.

Pour se rendre compte du phénomène, difficile de faire l'économie d'un passage en revue, éloquent bien que légèrement fastidieux, des plus récentes coalitions conclues en Europe. En Finlande, le parti libéral-conservateur de la Coalition nationale, vainqueur d'une courte tête aux législatives d'avril 2023, a été contraint de conclure, pour la toute première fois de son histoire, un contrat de gouvernement avec les nationalistes du Parti finlandais arrivés seconds. Ouvrant à ces derniers les portes du gouvernement, leur cédant, outre le poste de Vice-Premier ministre, les portefeuilles ministériels de l'Économie de la Justice ou de l'Intérieur.

Quelques mois plus tard, à quelque 4 000 kilomètres plus au sud, l'Espagne semble suivre la même trajectoire. Lors des élections régionales et municipales de mai 2023, le parti nationaliste Vox enregistre une poussée spectaculaire. La formation, créée en 2013 et dirigée par Santiago Abascal, multiplie par deux ses scores par rapport aux élections précédentes. Son discours est clair : « Certains partis traditionnels dits de centre droit ont oublié leurs racines, leurs fonctions sociale et politique en reprenant l'argumentaire progressiste et mondialiste. Ils sont aussi responsables du déficit démocratique que l'on observe en Europe. Le peuple veut une alternative[1] », livrait le dirigeant du

1. Entretien avec l'auteur en novembre 2022.

parti peu avant que les urnes ne sacrent sa formation troisième force politique du pays. Un poids nouveau qui convainc le Partido popular (PP), d'obédience libérale-conservatrice, à rompre définitivement les digues qui le séparaient jusqu'alors de lui.

Le parti de droite traditionnelle conclut des accords avec les nationalistes leur permettant, ensemble, de ravir à la gauche la présidence des communautés d'Aragon, des Îles Baléares, d'Estrémadure, de Murcie ou de Valencienne. Ce qui n'était qu'une expérience isolée, la coalition PP-Vox à la tête de la communauté de Castille-et-León, est généralisé et érigé au rang de norme. De là à voir une « union des droites » se nouer pour conquérir le pouvoir au niveau national et s'y installer, il n'y a qu'un tout petit pas. Que la plupart des Espagnols ont bien cru voir franchi après la démission du Premier ministre socialiste, Pedro Sánchez, et la convocation d'élections législatives anticipées fin juillet 2023. Surpris par une droitisation sans précédent du Partido popular, desservi par la démobilisation de ses électeurs au cœur de l'été, le mouvement nationaliste Vox essuiera finalement une contre-performance électorale repoussant, un temps, le spectre d'une alliance nationale avec la droite. Du moins, jusqu'aux prochaines élections générales…

Cette idée d'« union des droites » en vient désormais à chatouiller les pays jusque-là les plus averses au nationalisme, à commencer par le premier d'entre eux pour des raisons historiques évidentes : l'Allemagne. Au creux de ce même mois de juillet 2023, le chef des conservateurs allemands, Friedrich Merz, réussit à provoquer un séisme en seulement quelques mots... Interviewé par la chaîne de télévision publique ZDF, le patron de la CDU et CSU répète qu'aucune alliance ne sera nouée entre sa formation et les nationalistes de l'AfD au Bundestag. Mais plutôt que de s'arrêter à ce qui n'est rien d'autre que le rappel de la ligne historique de son mouvement, le politique semble la tempérer. Il ajoute que, « bien sûr », il pourrait en être autrement au niveau communal, où selon lui une forme de pragmatisme doit l'emporter... Ouvrant ainsi la voie à des coalitions locales avec le parti nationaliste honni, là où les sondages promettent d'ores et déjà à ce dernier d'importants succès. La levée de boucliers, unanime d'un bout à l'autre de l'échiquier politique contre ces propos, contraindra bien vite le patron de la CDU à les retirer.

Il n'empêche. La sortie de Friedrich Merz est ô combien révélatrice de la pression qu'exerce la dynamique nationaliste, y compris sur les conservateurs allemands. Évalué à 22 %, l'AfD est devenu le deuxième parti du pays selon tous les sondages, lesquels placent la formation, alliée au Rassemblement national en France, à quelques points seulement derrière la CDU pour les européennes de 2024. Portée par une dynamique semblable que dans la plupart des autres pays européens, le parti est celui ayant enregistré la plus importante progression aux élections régionales d'octobre 2023 en Bavière et en Hesse. Il est donné largement en tête dans les deux prochains Länders appelés aux urnes : en Thuringe et en Saxe, le 1er septembre 2024. Des scrutins qui s'annoncent comme autant de défis pour la

CDU, désormais profondément divisée sur la posture à tenir face aux nationalistes s'ils l'emportaient...

Si pour l'Espagne ou l'Allemagne un bouleversement politique se dessine à un horizon plus ou moins lointain, en Suède, la révolution politique est déjà passée par là. Elle a eu lieu au mois de septembre 2022, sous une forme qui a saisi de stupeur l'Europe entière. Distancés dans les urnes, les partis de droite traditionnelle – que sont le parti chrétien-démocrate, le parti libéral et le parti modéré – y ont perdu leur prédominance électorale. « Ils ont fini par se dire que s'ils ne s'alliaient pas aux nationalistes et n'adoptaient pas leur agenda politique, ils finiraient par se faire aspirer élection après élection la totalité de leurs électeurs », témoigne Torbjörn Nilsson, plume du quotidien conservateur suédois, Svenska Dagbladet. De forces majeures, les partis de droite traditionnelle se sont vus directement relégués en forces d'appoint du mouvement nationaliste, jusque-là honni et ostracisé par elles : les Démocrates de Suède.

Magnanimes, ces derniers leur ont tendu la main pour constituer une coalition gouvernementale jusqu'à laisser, à l'issue de longues tractations au château de Tidö à l'ouest de Stockholm, la totalité des postes gouvernementaux à leurs nouveaux alliés de droite affaiblis. « Nous avons conclu un *deal*, à eux l'argent et les places, à nous la véritable influence politique », confie dans un sourire Mattias Karlsson, tête pensante et membre de la direction des Démocrates de Suède. Le prix se révélera exorbitant pour la droite traditionnelle : les nationalistes ont obtenu pour tout le long de la mandature une mainmise totale sur l'initiative politique et l'agenda législatif. En clair, sur la totalité de la politique conduite par l'exécutif. Sans pour autant y participer, et donc de risquer de porter la responsabilité d'un éventuel échec… Pour l'heure, le gouvernement a assumé deux priorités : un durcissement sans précédent de la politique migratoire et de la lutte contre la criminalité.

Nul besoin d'un tel compromis en Italie. Appelés aux urnes quinze jours après les Suédois, fin septembre 2022, les Italiens portent au pouvoir avec une nette avance une « coalition de centre droit ». Constituée en 2018, celle-ci regroupe deux partis nationalistes, la Lega de Matteo Salvini et Fratelli d'Italia de Giorgia Meloni. Ainsi que le parti libéral-conservateur de Silvio Berlusconi, Forza Italia.

Voilà des années qu'il ne subsiste guère plus de « cordon sanitaire » dans la péninsule. Le premier gouvernement du « Cavaliere », en 1996, comptait déjà plusieurs individualités issues de mouvements nationalistes comme la Ligue du Nord ou l'Alliance nationale. Ces élections de 2022 ont pourtant, là encore, l'effet d'un séisme au niveau européen. Et pour cause. Arrivée largement en tête par rapport à ses alliés, c'est à l'égérie de Fratelli d'Italia, Giorgia Meloni, de prendre la présidence du Conseil. Et donc les rênes du premier gouvernement de l'histoire contemporaine italienne présidé et très largement dominé par des nationalistes. Troisième force de la coalition, la droite traditionnelle est définitivement surclassée par les forces sur lesquelles, jadis, elle s'appuyait… Un scénario qui, là encore, n'est pas isolé en Europe.

« Les forces de droite traditionnelle sont en réalité tombées dans un cercle vicieux », théorise le professeur Giovanni Orsina, directeur de la School of Government de la Luiss-Guido Carli à Rome. « Depuis les années 1990, leurs programmes sont très difficiles à distinguer de ceux des sociaux-démocrates et des libéraux. Beaucoup d'entre elles ont poursuivi cette ambition de faire partie du centre. Mais depuis que ce dernier est en crise, la droite est en grave difficulté. Elle ne peut plus gouverner seule. Soit elle accepte de s'allier avec les forces nationalistes, au risque de les légitimer et de leur servir de marchepied. Soit elle refuse et doit donc accepter une alliance avec les socialistes et les libéraux. Ce qui veut dire continuer à perdre des électeurs et risquer une déroute face aux nationalistes dans les urnes. C'est leur tragédie. »

Comme pour retarder ce funeste destin, nombre de forces de droite traditionnelle tentent de radicaliser leurs positions, empruntant le discours et une partie du programme des forces nationalistes, dans l'espoir d'attirer à eux leurs électeurs. Une stratégie au succès pour le moins inégal. Lors des dernières législatives en Espagne, le durcissement du discours du Partido popular a certainement contribué à contenir son rival nationaliste Vox. Les tentatives similaires des partis de droite classique, en France ou en Suède auront, pour leur part, fait long feu. « L'itinéraire de la droite suédoise est amusant », témoigne un eurodéputé du même groupe parlementaire européen, le PPE. « Au début de la législature, ils étaient parmi les plus libéraux du PPE, en désaccord sur l'immigration avec la grande majorité des autres élus. Cinq ans plus tard, ils sont plus à droite que nous tous. » Et pourtant toujours en retrait dans les urnes.

En Allemagne, la CDU a présenté mi-décembre 2023 un nouveau pan de son « *Grundsatzprogramm* », sa charte programmatique fondamentale. Comme pour tourner définitivement la page de l'ère Merkel, les questions migratoires et d'intégration y sont fréquemment abordées : « Seuls ceux qui adhèrent à notre culture majoritaire peuvent s'intégrer et devenir des citoyens allemands », y est-il écrit, ou encore « les musulmans qui partagent nos valeurs appartiennent à l'Allemagne ». Un incontestable bougé par rapport aux mots prononcés, en 2010, par l'ancien président de la République fédérale, le CDU Christian Wulff : « L'islam appartient à l'Allemagne. » Reste à déterminer quelles conséquences cet *aggiornamento* aura sur la dynamique des nationalistes de l'AfD.

Lorsqu'elles se nouent, les alliances en Europe entre droite et nationalistes sont de deux types. Lorsqu'elles sont inédites, elles se font le plus souvent au lendemain des élections, imposées par le rapport de force induit par les urnes. Elles prennent alors la forme d'une coalition de gouvernement ou de majorité, comme en Suède ou en Finlande. Elles peuvent aussi être mûrement réfléchies et anticipées, par le biais d'une coalition électorale, en amont du scrutin. C'était le cas en Italie. Les deux produisent peu ou prou les mêmes effets. Autrefois parias, les forces nationalistes finissent par exercer un pouvoir qu'elles n'auraient pu conquérir seule. Celui-ci leur permet d'achever leur entreprise de

« dédiabolisation ». L'exercice des responsabilités, loin d'éroder leur socle électoral initial au profit de leur allié en perte de vitesse, les crédibilise auprès d'un électorat nouveau. Il élargit leur base et les renforce. Jusqu'à ce que les forces nationalistes finissent par supplanter totalement les forces de droite traditionnelles qu'elles étaient, dans un premier temps, venues soutenir. C'est le grand remplacement de la droite…

« Ce mouvement correspond à quelque chose dans la société. Il est fini le temps où, dans les années 1990, droite et gauche étaient perçues comme deux branches d'une même famille centriste et modérée », note Jean-Yves Dormagen, professeur de sciences politiques à l'université de Montpellier et à l'École normale supérieure. « Les électorats conservateurs ou de droite traditionnelle sont de plus en plus perméables aux propositions identitaires portées par les forces nationalistes. Tout cela est cohérent avec la plus grande polarisation de la société. » Une dynamique qui n'est pas sans incidence sur les grands équilibres politiques européens, jusqu'à ressusciter le vieux clivage entre gauche et droite que l'on pensait, il n'y a pas si longtemps, définitivement dépassé.

Au lendemain de la crise financière de 2008 et de la « Grande récession » qui a suivi, un double mouvement avait comme mis entre parenthèses cette antédiluvienne opposition entre droite et gauche. Privées des fruits de la croissance, les classes populaires ont, en nombre, tourné le dos aux partis traditionnels, enfreignent leurs « interdits moraux », pour aller grossir les rangs de forces alternatives populistes. Face à ces dernières, droite et gauche ont décidé de ne plus faire qu'une, par le biais de coalitions ou par la création de forces nouvelles. Un choix davantage de l'ordre de la clarification, tant les divergences entre les deux pôles de l'échiquier politique s'étaient lissées depuis leur convergence, dans les années 1990, sur un même socle libéral européen. L'opposition n'est alors plus entre droite et gauche, mais entre un Beppe Grillo et un Mario Monti en Italie, entre un Geert Wilders et un Mark Rutte aux Pays-Bas, entre une Marine Le Pen et un Emmanuel Macron en France. En clair, entre la force populiste dominante et un centre « techno-européen ». Souvent à l'avantage du second. Du moins jusqu'à aujourd'hui.

En se coalisant avec la droite classique, ces nouvelles forces nationalistes ressuscitent, partout en Europe, l'opposition traditionnelle avec la gauche, mais sur une base davantage identitaire que sociale. Aux classes populaires qui votaient d'ores et déjà pour leurs aînées populistes, elles adjoignent derrière elles un électorat issu de la droite traditionnelle, plus âgé, plus aisé et particulièrement conservateur sur le plan culturel. Au point de progressivement se substituer à la droite. « C'est la fin de l'ère populiste », va jusqu'à soutenir le politologue et professeur de l'université Luiss à Rome, Giovanni Orsina. « Les nationalistes font désormais partie des institutions, ils gouvernent, siègent au sein des parlements. Il y a dorénavant une nouvelle droite. Et cette nouvelle droite dans de plus en plus de pays est une droite nationaliste. Elle est une partie physiologique de la démocratie contemporaine. Il n'est plus possible de dire qu'il y a un défi populiste comme si c'était quelque chose d'extérieur au système politique, diabolisé et dangereux. C'est devenu quelque chose de complètement intégré au système. »

Après l'avoir étrenné au niveau national, les forces nationales-conservatrices en dynamique entendent bien tester cette recette victorieuse de l'« union des droites » à plus grande échelle… À commencer par le Parlement européen. Et, pourquoi pas, dès la prochaine législature, au lendemain des élections du 6 au 9 juin prochain. « Cette coalition que nous sommes en train de faire en Suède démontre que la droite au sens large peut être davantage constructive et unifiée », table le député et dirigeant des Démocrates de Suède, Mattias Karlsson. « Cela peut totalement être dupliqué au Parlement européen. Les national-conservateurs enregistrent de plus en plus de soutien, dans un nombre de pays toujours plus nombreux. Si la droite s'unit avec nous, elle trouvera une majorité. Si elle refuse, le véritable pouvoir continuera d'être à gauche en Europe. » Là est l'un des enjeux capitaux des prochaines élections européennes. Au sein du Parlement européen, une hypothétique « Union des droites » susceptible de constituer une coalition alternative à celle dominante aujourd'hui unissant socialistes (S&D), libéraux (Renew) et droites traditionnelles (PPE), serait susceptible de bousculer la politique européenne dans nombre de domaines : de la politique environnementale à l'immigration en passant par les questions sociétales voire les principes même de l'intégration européenne…

Sous les dorures de son vaste bureau du palais Chigi, à Rome, l'un des plus proches conseillers de

Giorgia Meloni, le sous-secrétaire d'État à la présidence du Conseil italien, Giovanbattista Fazzolari, l'assume sans ambages : « Les prochaines élections européennes peuvent établir un tout nouveau cadre avec la possibilité d'une majorité alternative autour de la droite et des Conservateurs européens. Avec pour conséquence une politique et une composition différente de la Commission européenne. Je crois que c'est le plus grand tournant qui s'annonce en Europe depuis plusieurs dizaines d'années. » Au regard des différentes projections d'intentions de vote aux élections européennes dans chaque État membre, le pari, s'il peut leur paraître accessible pour la première fois de l'histoire de l'Union européenne, reste très audacieux, comme nous le verrons dans un prochain chapitre[1]. Mais avant d'analyser les enjeux que pose cette poussée nationaliste au niveau européen, il est essentiel d'en comprendre les ressorts profonds. Les sirènes de la « diabolisation » qui visaient jusqu'alors les forces nationalistes ont fini par lasser, jusqu'à se retourner contre leurs propres instigateurs (chapitre 3). L'absence de solutions apportées à l'immigration (chapitre 4), l'essor des préoccupations identitaires (chapitre 5) comme plus récemment la forte polarisation sur les enjeux environnementaux (chapitre 6) en sont les principaux moteurs contemporains.

1. Cf. Chapitre 11.

3.

La seconde mort de Stieg Larsson

Les derniers feux de la diabolisation

La visite guidée vire au pèlerinage. Ce jour pluvieux d'octobre, ils sont une quinzaine de touristes américains, français ou espagnols à user leurs semelles sur les pavés du vieux quartier de Södermalm, à Stockholm. Tous ont déboursé 450 couronnes – une quarantaine d'euros, tout de même – pour suivre à pied le singulier circuit proposé par l'office du tourisme de la capitale suédoise. Abrités sous une fine passerelle d'acier élégamment posée entre deux bâtiments de pierres et de briques, les yeux s'écarquillent. Ce n'est pas tant l'architecture qu'ils sont venus admirer. Mais les fenêtres de l'appartement où, là, au Bellmansgatan 1, résiderait le fameux journaliste-enquêteur, Mikael Blomkvist. Le héros fictif de la trilogie de romans noirs, *Millenium*. Une série vendue à quelque 50 millions d'exemplaires à travers le monde et adaptée à de multiples reprises au cinéma. Plus qu'un succès, une fierté nationale. Qui doit à son auteur, Stieg Larsson, de figurer quelque part entre la cérémonie du Nobel et le saumon Gravlax au patrimoine culturel suédois. Si les touristes ne peuvent s'en douter, quelque chose a comme changé pourtant, lorsque son nom est désormais prononcé dans sa patrie natale. Depuis quelques mois, un voile est venu en obscurcir la mémoire. Celui de sa défaite posthume contre les nationalistes suédois.

Terrassé en 2004 par une crise cardiaque foudroyante à l'âge de cinquante ans, l'homme n'a jamais connu le succès de *Millenium*, publié plusieurs mois après sa mort. Les Suédois n'avaient pas attendu cette œuvre littéraire pour connaître le personnage et la prose de Stieg Larsson. Avant de s'essayer au roman, ce fumeur compulsif, bourreau de travail qui pensait tromper ses insomnies en écrivant la nuit, s'est bâti une considérable renommée comme journaliste militant. À la fin des années 1980, il était l'un des premiers à enquêter sur la résurgence des mouvements nationalistes dont il traque, documente et dénonce, en Suède, les faits et gestes. À commencer par ceux d'un tout jeune mouvement, fondé sur les décombres de plusieurs groupuscules fascistes et alors sous l'autorité d'un authentique néo-nazi, Anders Klarström : les Démocrates de Suède. « Nous suivions les militants des journées entières dans les rues de Stockholm, nous conservions les journaux qu'ils vendaient, écoutions les radios qu'ils diffusaient, jusqu'à les surprendre totalement saoul en train de se battre au beau milieu de la nuit », se remémore dans un éclat de rire Anna-Lena Lodenius. Pendant des années, la journaliste fut l'acolyte de « Stieg » jusqu'à écrire ensemble leur premier livre : *Extremhögern*[1], « extrême droite » en suédois.

1. A. L. Lodenius & S. Larsson, *Extremhögern*, Stockholm, Tidens, 1991.

Un sujet d'étude devenu une obsession. Au point de convaincre cet Edwy Plenel scandinave – la moustache en moins, la timidité en plus – de quitter en 1995 la grande agence de presse pour laquelle il travaillait, pour monter son propre magazine : *Expo*. Placé sous le signe de l'antiracisme et de l'antifascisme, le trimestriel va offrir à son fondateur une influence inédite sur l'échiquier politique de son pays, à gauche notamment. Mieux. Il fait peu à peu de sa rédaction une véritable école d'un journalisme à son image, mêlant militantisme et investigation. Les jeunes recrues qui y feront leurs classes partagent tous le même combat : la dénonciation des Démocrates de Suède. « Après 1945, l'extrême droite a tenté d'avancer cachée derrière différents masques comme l'anticommunisme ou la défense de la démocratie. Le journalisme de Stieg permettait d'ouvrir les yeux aux gens en leur disant "ces gens sont toujours là, leurs idées, leur projet, n'ont pas changé. Ils peuvent revenir." C'est ce que nous faisons encore aujourd'hui. Nous continuons cette tradition journalistique », abonde Daniel Poohl, recruté à 19 ans comme bénévole à *Expo* par Stieg Larsson, avant d'en devenir aujourd'hui le directeur. Mais quelque chose ne s'est pas déroulé exactement comme prévu : de groupuscule, les Démocrates de Suède sont devenus la première force de la coalition au pouvoir dans le pays…

En dépit du fait qu'il a consacré la plus grande partie de sa vie à lutter contre l'« *extremhögern* », bien qu'il y ait dédié des milliers d'enquêtes et qu'il ait obtenu davantage d'audience que nul autre journaliste avant lui jusqu'après sa mort, malgré sa réussite à faire essaimer ses idées dans toute une génération pour que son combat continue après lui, Stieg Larsson n'a pas empêché son cauchemar d'advenir. « Mais qu'est ce qui a bien pu dysfonctionner ? » Attablée à une terrasse de café, au bord d'une rive arborée de Stockholm, la journaliste Anna-Lena Lodenius avoue s'être posé plus d'une centaine de fois la question depuis l'accession au pouvoir de leur Némésis, les Démocrates de Suède. Avec Stieg Larsson, ils se sentaient « investis d'une mission morale, pour montrer quel était leur vrai visage » et rencontraient alors un véritable écho. C'étaient les grandes heures de la « diabolisation ». Comme en témoigne volontiers l'un des principaux dirigeants actuels des Démocrates de Suède, le député Mattias Karlsson : « Lorsque j'ai commencé à militer, nous n'avions pas le droit d'ouvrir de compte bancaire, nous n'avions pas accès aux médias, la poste refusait de délivrer notre propagande électorale et le jour des élections, nos bulletins étaient systématiquement volés pour que personne ne puisse voter pour nous… Nous étions également menacés physiquement par des militants de gauche radicale liés aux amis de Stieg Larsson, c'est un miracle qu'aucun de nous n'ait jamais été tué. » Tout cela, pour ne recueillir péniblement que 1,44 % des suffrages lors des élections générales de 2002.

Mais la mécanique ne va pas tarder à s'emballer. Lorsqu'il reprend en 2005 les rênes du parti nationaliste avec son nouveau président, Jimmie Åkesson, Mattias Karlsson entreprend une vaste entreprise de « dédiabolisation ». À l'image de celle que conduira, quelques années plus tard en France, Marine Le Pen avec le

Front national. « Nous n'avons jamais caché que nos débuts n'étaient pas les bons. Le parti avait adopté une approche trop souple à l'égard des éléments les plus extrémistes. La direction actuelle du mouvement a été très claire sur les lignes rouges tracées vis-à-vis de ces éléments radicaux », assure celui qui est communément présenté comme l'éminence grise des Démocrates suédois, Mattias Karlsson. « Ces vingt dernières années, nous les avons tous exclus de nos rangs. Nous avons adopté une politique de tolérance zéro vis-à-vis du racisme, de l'antisémitisme et de toute idée radicale », jure-t-il. Un chantier qui n'a cependant rien changé à la marginalisation et la « diabolisation » dont son parti fait alors l'objet. « Les Démocrates de Suède n'était pas un mouvement nationaliste comme un autre, il a été fondé par des nazis », rappelle la députée sociale-démocrate, Lawen Redar. « La réaction de rejet des autres partis était logiquement extrêmement forte. » Au point de nier l'existence de ses élus lors de leur entrée en 2010 au Riksdag, le Parlement national, et de s'interdire tout contact avec eux.

Comme affolés par la progression des Démocrates de Suède dans les urnes, les héritiers de Stieg Larsson redoublent leurs attaques, radicalisent leur tentative de « diabolisation » du mouvement nationaliste. Et ce, malgré la disparition progressive de ses aspérités, et *a fortiori* du moindre lien avec son passé néo-nazi. Journalistique au départ, le combat ne se veut plus que politique : « Nous nous sommes polarisés », assume Daniel Pool, directeur du journal *Expo* et sorte de fils spirituel de Stieg Larsson. « L'idée d'un journalisme objectif est née à une époque où il existait un consensus libéral. Nous ne pouvons pas rester neutres face aux théories du complot ou au fascisme parce qu'ils représentent une menace pour l'idée même de journalisme. » C'est à peu près dans ces années 2010 que la journaliste Anne-Lena Lodenius identifie une forme de rupture de la classe politique et médiatique avec une large part de l'opinion suédoise. Malgré son amitié pour Stieg Larsson, la sexagénaire a toujours refusé de rejoindre la rédaction d'*Expo* : « Je suis journaliste, je ne suis pas une activiste politique », explique-t-elle. Puis formule cet aveu : « Je crois que les gens ont fini par être lassés par toute cette rhétorique "fasciste", "raciste"... À un moment donné, elle a même fini par être contre-productive... »

Un ressenti que documente Nicklas Källebring, responsable de l'institut de sondage Ipsos en Suède, graphiques à l'appui : « Les Démocrates suédois sont traités de tous les noms possibles, mais cela n'a plus aucune efficacité. Cela n'affecte plus les électeurs. Leur progression a été continue en popularité comme dans les urnes depuis vingt ans. » En 2006, seuls 3 % des Suédois confiaient vouloir voter pour le mouvement nationaliste. Ils sont plus de 20 % aujourd'hui... « Malgré toute leur influence, leurs moyens, ils ont crié au loup trop souvent », sourit le nationaliste Mattias Karlsson. « Leur seule munition contre nous est notre histoire. Mais plus personne n'écoute vraiment. » Les cornes de la diabolisation ont perdu de leur adhérence. La réalité ne colle plus. Les procès en racisme et en xénophobie intentés contre les Démocrates de Suède sonnent creux.

Comme un vieux tube qu'on n'écoute plus à force de l'avoir trop entendu... Au moment même où les thématiques phares portées par le mouvement nationaliste depuis plusieurs années prennent une ampleur inédite dans l'opinion : la question de l'immigration en tête, avec ses conséquences sur le très envié modèle social suédois ou sur la cohésion nationale.

À partir de 2015, la crise migratoire va marquer un important basculement dans le pays. Si les feux de la « diabolisation » lassent déjà les Suédois, ils vont dorénavant se retourner contre leurs instigateurs. Et devenir un important carburant pour les forces nationalistes qu'ils espéraient au départ consumer... Au lendemain des élections générales de 2014, l'Assemblée nationale compte 49 députés des Démocrates de Suède, sur 349 sièges. La totalité des autres forces politiques dressent haut un « cordon sanitaire » à leur encontre, refusant de leur accorder la moindre place dans l'institution, invisibilisant leur discours et contrecarrant la moindre initiative parlementaire. « C'était une insulte à leurs électeurs, nous leur avons envoyé le message que leur voix ne comptait pas autant que les autres. Comment voulez-vous prétendre défendre la démocratie après ça ? », confie *a posteriori* Sara Skyttedal, eurodéputée du parti chrétien-démocrate. Torbjörn Nilsson[1], journaliste politique réputé du quotidien conservateur *Svenska Dagbladet*, abonde : « Ostraciser les Démocrates suédois dans le débat public puis au parlement ces dernières années a été une lourde erreur. Cela leur

1. Élu journaliste de l'année par l'association suédoise des éditeurs de presse, le Sveriges Tidskrifter, en 2006 et en 2017.

a permis de passer pour les victimes du “système”, de nourrir leur récit des “gens normaux” contre les élites… »

Un effet pervers de la « diabolisation » d’autant plus renforcé que les Démocrates de Suède sont alors les seuls, dans l’hémicycle, à se saisir du sujet fondamental de l’immigration et de ses conséquences. Par peur d’être assimilée aux nationalistes, la totalité de la classe politique préfère alors ignorer le sujet. Qu’importe que de 2015 à 2017, entre 35 et 40 %[1] des Suédois fassent de l’immigration leur principal sujet de préoccupation, juste devant la pérennité de leur modèle social… « Le rejet des Démocrates suédois était tel que personne n’a osé ne serait-ce que discuter des difficultés causées par l’immigration », admet Lawen Redar, élue proche du Premier ministre socialiste de l’époque, Stefan Löfven. « Même durant la crise des migrants, nous n’avons pas remis en cause notre politique migratoire pourtant la plus libérale d’Europe. Notre réponse n’a pas été la bonne », reconnaît aujourd’hui la députée sociale-démocrate.

La classe politique traditionnelle suédoise a ainsi vu se creuser le fossé qui la séparait d’un électorat désabusé par la détérioration de sa qualité de vie. Les attaques, exclusivement morales, proférées contre les Démocrates de Suède ont fini par faire advenir le scénario qu’elles espéraient empêcher : installer la force nationaliste en seule alternance véritable dans toute une partie de l’opinion. Jusqu’à son triomphe dans les

1. Chiffres Ipsos Suède.

urnes, au mois de septembre 2022, contraignant avec plus de 20 % des suffrages lors des élections générales, les partis de droite traditionnelle à faire céder les digues qu'ils avaient patiemment érigées contre elle. Afin de former avec les Démocrates de Suède une coalition gouvernementale et ainsi espérer exercer le pouvoir.

Il en est désormais fini de la « chasse aux nazis » en Suède. Comme il en est fini de la chasse aux « collabos » en France, aux « fascistes » en Italie ou aux « franquistes » en Espagne. Si elle n'est pas partout au même stade, l'épuisement de la logique de « diabolisation » des forces nationalistes est un phénomène européen. Surnommé le « diable de la République » en France, le fondateur du Front national, Jean-Marie Le Pen a longtemps justifié le traitement à part que lui a réservé la classe politique et médiatique par ses outrances sur la Seconde Guerre mondiale et ses propos négationnistes, notamment. Il en aura retiré, outre une notoriété importante, une marginalisation profonde et définitive sur l'échiquier politique. Une proscription dont aura hérité sa fille, Marine Le Pen, en même temps que des rênes de son mouvement en 2011. Plus de dix ans durant, la triple candidate à la présidentielle aura entrepris une patiente et continue entreprise de « dédiabolisation ». Non sans retirer, cependant, quelques fruits du « cordon sanitaire » dont elle a continué à faire l'objet, semblables en bien des points à ceux qu'ont pu goûter les Démocrates de Suède : un renforcement de sa posture « antisystème », finissant par l'installer en seule force d'alternance véritable face à la proposition, mêlant centre-droit et centre-gauche, d'Emmanuel Macron, tant au second tour de la présidentielle de 2017 qu'à celui de 2022.

Peu avant son élection à la tête du gouvernement italien, la cheffe de file de Fratelli d'Italia a elle aussi pu essuyer les derniers feux de la « diabolisation ». À l'été 2022, de grands journaux marqués à gauche, les quotidiens *La Stampa* et *La Repubblica* notamment, ont agité la filiation politique de Giorgia Meloni avec le fascisme de Benito Mussolini, pour alerter sur le potentiel risque qu'elle représentait pour la démocratie dans la péninsule si jamais elle accédait au pouvoir.

« Cette carte du fascisme, l'opinion publique s'en est totalement moquée. Je pense même que pour une partie, cela a constitué une raison supplémentaire de voter Meloni, parie le directeur de l'école de gouvernement de l'université de la Luiss, à Rome, Giovanni Orsina. Les tentatives de diabolisation ont été trop utilisées en Italie, comme dans beaucoup de pays d'Europe d'ailleurs, pour encore avoir quelques effets. Il n'y a pas eu d'homme politique davantage diabolisé que Silvio Berlusconi. Il a gouverné pendant une dizaine d'années, les Italiens se sont pourtant rendu compte que la démocratie était encore là... » Paroxysme de la « diabolisation », des procédures d'interdiction ont été initiées successivement contre deux forces nationalistes en Europe. Les opposants au parti Chega, en 2021 au Portugal, comme ceux d'Alternative für Deutschland (AfD), courant 2023 dans le land de Saxe en Allemagne, ont tenté de les faire reconnaître contraires aux valeurs fondamentales des constitutions de leurs pays respectifs.

Des procédures, pour l'heure vaines, qui n'ont eu aucun effet sur leurs dynamiques sans précédent. Du moins, tant que les forces nationalistes poursuivent bel et bien leur entreprise de « dédiabolisation ». En janvier 2024, le média indépendant *Correctiv* révèle en Allemagne qu'une obscure réunion s'est tenue à Potsdam. Certains responsables de l'AfD y auraient discuté, devant plusieurs donateurs, d'un vaste projet de « remigration », prévoyant notamment l'expulsion d'Allemands d'origine étrangère. Plus d'un million de personnes descendent alors dans les rues pour scander leur opposition à la force nationaliste. Une mobilisation d'ampleur devenue rarissime en Europe. Qui n'empêche cependant pas l'AfD de mener, les semaines suivantes, la campagne des européennes en seconde force du pays comme d'être en passe selon les sondages de doubler son score des dernières européennes de 2019.

« C'est un bouleversement. Le journalisme de ces dernières années se reposait sur une forme de consensus européen anti-fasciste. Mais c'est terminé », s'effraie Daniel Poohl depuis les locaux, au cœur de Stockholm, de la rédaction d'*Expo*, le journal fondé par Stieg Larsson. « Nous nous retrouvons désormais à devoir expliquer pourquoi la démocratie est une bonne chose, pourquoi le racisme c'est mal, pourquoi l'islamophobie pose problème… Quand vous expliquez aux gens que telle politique est contraire aux droits de l'homme, ils vous demandent quelle est l'utilité des droits de l'homme », lâche-t-il. Avant d'entamer comme un début de *mea culpa* : « Si autant de personnes sont prêtes à voter pour des partis qui ne respectent pas la démocratie, sans doute est-ce parce que la démocratie n'a pas rempli ses promesses… Ce que nous aurions sans doute dû faire, collectivement, c'est moins nous concentrer sur le mouvement nationaliste en lui-même que sur les raisons et les sentiments qui ont pu conduire tant de gens à voter pour eux… » Des mots prononcés comme on rejoue une bataille après avoir perdu la guerre.

Le 10 décembre suivant, l'élite suédoise a revêtu ses plus belles parures. Smokings et robes de gala prennent place aux côtés des diadèmes de la famille royale, sous les dorures du hall bleu de l'hôtel de ville de Stockholm. Comme le veut la tradition, se tient ce soir-là le dîner du Nobel. Une fierté nationale pour le royaume scandinave en plus d'être un événement à retentissement mondial. La télévision suédoise retransmet en direct les agapes, données en l'honneur des lauréats, récompensés chacun en leur domaine pour leurs actions en faveur « du bien-être de l'humanité ». Pour la première fois, un hôte ô combien singulier a trouvé cette année sa place parmi les invités. Il ne doit sa présence ni à son engagement en faveur de la paix au Proche-Orient, ni à sa participation à quelque traitement miracle contre le cancer. Mais à la position désormais hégémonique de la formation politique qu'il dirige dans le pays : les Démocrates de Suède. Jimmie Åkesson peut trinquer. En une même soirée, il vient d'enterrer définitivement la diabolisation dont il a longtemps fait l'objet et, avec elle, pour la seconde fois, son meilleur ennemi Stieg Larsson. Une idée que Daniel Poohl balaie : « Si Stieg revenait aujourd'hui d'entre les morts, je parie qu'il dirait : “Ah ! Je l'aurais parié.” »

4.
L'immigration, premier carburant nationaliste

Ce n'est pas encore de la panique. Mais en ce mois de mai 2023, l'optimisme du gouvernement polonais à l'approche des élections législatives, prévues le mois suivant, a fini de laisser place à la nervosité. Des ministres sont allés jusqu'à s'en ouvrir à leurs partenaires italiens et hongrois avec qui ils siègent au Conseil européen, comme pour les préparer à ce qui vient. « Les remontées qu'ils nous font ne sont pas bonnes, ils sentent la défaite arriver », glisse, inquiet, Ádám Samu Balázs, responsable des relations internationales du Fidesz, le parti de Viktor Orbán, depuis ses bureaux de Budapest. Au pouvoir depuis 2015, le parti nationaliste-conservateur Droit et justice (PiS) a longtemps bénéficié d'une grande popularité. Son agenda social, sa défense des valeurs traditionnelles via des allocations généreuses pour les familles et, surtout, son opposition frontale aux politiques en matière d'immigration de l'Union européenne lui valent depuis près d'une décennie des scores impressionnants dans la majorité du pays, excepté dans les grandes villes.

Quelque chose, pourtant, semble avoir changé. La coalition de son principal adversaire, l'ancien président du Conseil européen, le libéral Donald Tusk, voit chaque jour sa dynamique se confirmer jusqu'à talonner dans les sondages le pouvoir sortant. Une concurrence d'autant plus menaçante, qu'à l'autre bout du spectre politique, une « confédération » rassemblant les forces les plus radicales du pays – pour ne pas dire d'Europe – grignote simultanément, sur sa droite, le socle jusque-là granitique du PiS. De quoi craindre le pire pour le scrutin à venir au mois d'octobre 2023. Il reste au Premier ministre Mateusz Morawiecki une ultime cartouche. Une carte joker qu'il s'est décidé à abattre au creux de l'été, comme celle de la dernière chance, après une nouvelle série de sondages défavorables.

Dans une vidéo publiée sur les réseaux sociaux puis diffusée à la télévision nationale, le chef de gouvernement apparaît en bras de chemise, debout dans son bureau. L'heure est grave, explique-t-il en substance. Il a donc décidé de se tourner vers ses compatriotes pour trancher une série de choix politiques majeurs. Là est justement l'objet des élections législatives à venir, mais qu'importe. Le quinquagénaire annonce que se tiendra le jour même du scrutin un grand référendum. La principale question portera sur un sujet qui lui est cher : l'immigration. Inspiré par son voisin hongrois, Viktor Orbán, coutumier de transformer la moindre consultation nationale en plébiscite grâce à une formulation pour le moins suggestive des questions posées, le Premier ministre polonais ne va pas faire dans la dentelle : « Soutenez-vous l'admission de milliers d'immigrants illégaux du Moyen-Orient et d'Afrique dans le cadre du mécanisme de relocalisation forcée imposé par la bureaucratie européenne ? » Ou encore : « Soutenez-vous le retrait de la barrière située à la frontière de la Pologne avec la Biélorussie ? » Sans surprise, les deux questions obtiendront plus de 95 % de « Non » en octobre, mais là n'était pas l'enjeu.

Le procédé n'est pas des plus raffinés. Mais il peut se révéler d'une efficacité redoutable. Puisque les forces d'opposition capitalisent sur les ratés de la politique économique du gouvernement durant le Covid et les effets limités de ses mesures contre l'inflation et puisque les craintes que suscite la guerre ukrainienne toute proche semblent presser une part importante de l'électorat vers la voie de l'apaisement avec Bruxelles qu'incarne l'ancien président du Conseil européen Donald Tusk, cette consultation surprise se chargera d'imposer, dans les derniers mois de la campagne électorale, la thématique phare du parti national-conservateur au pouvoir. Elle se chargera de rappeler aux électeurs, jusque dans l'isoloir, pourquoi ils n'ont cessé de réélire le PiS depuis 2015 : la crainte d'une submersion migratoire et d'une dilution de l'identité nationale. Premier des carburants des forces nationalistes en Pologne comme partout en Europe.

Arrivé largement en tête aux élections législatives du 15 octobre 2023, avec plus de 35 % des suffrages exprimés, soit 5 points devant son premier adversaire Donald Tusk, le Parti Droit et justice n'aura cependant pas été épargné par une forme d'usure du pouvoir. Qui aura convaincu, au soir des résultats, la quasi-totalité des forces d'opposition de dépasser leurs différends pour se rallier à la casaque de l'ancien président du

Conseil européen et ainsi former avec son mouvement une large coalition d'alternance à la tête du pays. Il n'empêche. Jugé particulièrement ingénieux, le stratagème d'une consultation nationale sur l'immigration un jour d'élection a vite été récupéré en France, tant par le Rassemblement national que par le parti Les Républicains, réclamant à Emmanuel Macron l'organisation d'un référendum semblable, concomitamment au vote pour les listes européennes, le 9 juin prochain. Une demande restée jusque-là lettre morte.

Et pour cause. Depuis cinquante ans, l'immigration reste le premier moteur des forces nationalistes et conservatrices en Europe. Dont la progression dans les urnes semble étroitement corrélée à celle des flux migratoires sur le continent. Ces dix dernières années ont été marquées par une multiplication sans précédent des offres nationalistes dans l'espace politique européen, chacune profitant d'une dynamique inédite. Une période durant laquelle les flux migratoires vers l'Union européenne ont battu, eux aussi, un record. Selon les estimations d'Eurostat, l'immigration vers les 27 États membres représentait en 2010 – tous statuts confondus – 2,6 millions personnes. Elle s'élevait à 3,75 millions de personnes onze ans plus tard en 2021, soit une progression de 42 %. Les premières demandes d'asile auprès des 27 sont, quant à elles, passées de 250 000 en 2012, à 875 000 en 2022. Une augmentation de 250 %.

Un levier bien compris, en France notamment, par Jean-Marie Le Pen dès la création du Front national en 1972. Dont les premières campagnes d'affichage se résumaient, peu ou prou, à mettre en relation chiffres du chômage et nombre d'immigrés sur le sol national. En 1978, le pays découvre ainsi ce curieux parti ayant pour emblème une flamme tricolore, après qu'il a tapissé les murs de la plupart des villes moyennes du pays, de Tarascon à Denain en passant par Brive et Paris, d'affiches rouge vif sur lesquelles était inscrit en lettres capitales : « Un million de chômeurs, c'est un million d'immigrés en trop. La France et les Français d'abord ! » Le discours s'est quelque peu précisé depuis. Il s'est même « technocratisé ». Mais le ressort reste identique.

Les courbes statistiques, les études sociologiques comme l'usage des données de l'administration ont peu à peu remplacé les outrances du « menhir » pour dénoncer les « maux » que charrie l'immigration. Qu'ils soient sociaux, sécuritaires ou identitaires. Le jeune président du Rassemblement national, Jordan Bardella, à l'image de sa rivale nationaliste, Marion Maréchal, tête de liste aux élections européennes du mouvement d'Éric Zemmour, Reconquête !, quittent rarement un plateau de télévision ou une émission de radio sans avoir tissé un lien entre immigration et délinquance et martelé, par exemple, qu'en France « selon les chiffres du ministère de l'Intérieur, en 2022, 41 % des mis en cause pour cambriolages sont de nationalité étrangère, 35 % pour vols violents sans arme, 17 % pour coups et blessures volontaires, 13 % pour violences sexuelles et 17 % pour homicides ».

En fonction des spécificités de leur pays, chaque formation nationaliste adapte son discours de lutte contre l'immigration. Si dans les pays au nord de l'Europe les forces nationalistes insistent davantage sur les risques qu'elle fait peser sur la cohésion et l'équilibre de l'État-providence, dans les pays du sud de l'Europe, au modèle social réputé moins généreux qu'au Nord et à la société davantage imprégnée d'une identité et de traditions chrétiennes, c'est de loin le discours civilisationnel et identitaire qui prévaut : « L'Europe est le berceau de la civilisation occidentale, pas question d'en faire un musée. Nous sommes convaincus qu'elle a toujours un rôle à jouer dans l'histoire mondiale. Il est nécessaire, pour ce faire, que les nations européennes reprennent la recette qui les a faites si grandes : la défense de leur souveraineté, de leur identité chrétienne et du sens commun », déclare ainsi Santiago Abascal, la tête de proue du mouvement national-conservateur espagnol Vox, à l'automne 2022. Entre 2010 et 2021, le nombre annuel d'entrées d'immigrés en Espagne a augmenté de 47 %. Le nombre de premières demandes d'asile est passé entre 2012 et 2022 de 2 350 à 116 135. Une augmentation de… 4 842 %[1]. De quoi convaincre Vox de faire de l'immigration un de ses principaux chevaux de bataille lors des législatives prévues à l'été 2023 dans son pays.

Le « *conquistador* », comme il est parfois surnommé par ses affidés, sait de qui s'inspirer. Alors en pleine campagne victorieuse, la cheffe de file de Fratelli d'Italia et future Présidente du Conseil italien, Giorgia Meloni, a fait au mois de juin 2022 un crochet par Marbella

1. Chiffres Eurostat.

pour soutenir un candidat de Vox. Sur l'estrade, la tête de proue des nationaux-conservateurs en Europe lance : « Il y a 530 ans, la capitulation de Grenade mettait fin à la Reconquista, l'Andalousie revenait à l'Espagne et l'Europe au christianisme. Aujourd'hui, la laïcité de gauche et le radicalisme islamique menacent nos racines (...). Oui à l'universalité de la Croix ! Non à la violence islamiste ! Oui, aux frontières sécurisées ! Non à l'immigration massive ! » C'est avant toute autre chose contre cette dernière que la quadragénaire a fait campagne puis été largement élue dans son pays. En Italie, le nombre annuel de premières demandes d'asile a augmenté de 350 %, ces dix dernières années[1].

La victoire de Geert Wilders et de son Parti pour la liberté (PVV), arrivé en tête des élections législatives aux Pays-Bas avec plus de 23 % des suffrages, au mois de novembre 2023, vient elle aussi conclure vingt ans d'un combat politique dont la principale ligne directrice aura été la lutte contre l'immigration et contre l'islam. Outre le rétablissement des contrôles aux frontières, le sexagénaire à la fameuse chevelure peroxydée, proposait la détention et l'expulsion des clandestins, la réduction drastique des conditions du droit d'asile, comme la réintroduction du permis de travail pour les travailleurs intra-européens. Quelques mois après qu'un important désaccord sur les questions migratoires ne provoque la chute du gouvernement du libéral Mark Rutte. Et ne mette un terme à ses plus de treize ans passés à la tête du pays. Entre 2010 et 2021, les entrées annuelles

1. *Ibid.*

d'immigrés aux Pays-Bas ont augmenté de 61 %. Le nombre annuel de premières demandes d'asile a quant à lui bondi de 267 % sur la même période[1].

Comme s'il s'agissait d'un test grandeur nature réalisé en laboratoire, deux pays scandinaves voisins qui, outre la superficie, possèdent des similarités certaines, vont démontrer par leurs politiques migratoires aux antipodes l'une de l'autre, entre les années 2000 et aujourd'hui, toute l'importance que celles-ci peuvent avoir sur la dynamique des forces nationalistes sur leur sol. Longtemps érigé en « modèle » européen de la social-démocratie, où l'État-providence se voulait le plus perfectionné, la Suède a été un siècle durant dirigé par un pouvoir social-démocrate. Sûre de la solidité de son modèle social et de ses capacités d'intégration, elle décide il y a une vingtaine d'années de conduire une politique parmi les plus libérales en termes d'immigration afin d'accueillir, au mieux, tous les exilés issus du chaos du monde, quels qu'ils soient.

Le Danemark va au même moment faire le pari exactement inverse. Sous la pression d'une force nationale-populiste alors en dynamique, le Parti du peuple danois, la droite au pouvoir à la fin des années 2000 va opérer un premier virage durcissant la politique d'immigration. Une voie que se gardera bien de remettre en cause la gauche lorsqu'elle arrivera au pouvoir à son tour, bien au contraire, que ce soit en 2011 ou de façon plus pérenne quelques années plus tard à partir de 2019. Très tôt, la social-démocratie danoise théorise l'incompatibilité

1. Chiffres Eurostat.

entre la pérennité de son modèle social et de son généreux État-providence, auxquels ses électeurs sont viscéralement attachés, et une politique migratoire libérale d'ouverture des frontières. Une équation alors très en vogue dans le pays, popularisée, entre autres, dès les années 1960, par un économiste suédois, Gunnar Myrdal, auteur de l'ouvrage *Planifier pour développer : De l'État-providence au monde providence*[1].

Quelles que soient les alternances politiques, la logique fondamentale de la politique danoise reste inchangée : multiplier les conditions nécessaires à l'obtention d'un permis de séjour permanent, durcir les conditions pour le regroupement familial des réfugiés et, *in fine*, dissuader les demandeurs d'asile de se tourner vers le Danemark, en rendant son système le moins attractif possible jusqu'à tenter d'adopter un processus d'externalisation des demandes d'asile par un pays tiers… Une politique parmi les plus restrictives de l'Union européenne permise, notamment, par une série de dérogations au droit européen mais qui va se révéler singulièrement efficace.

Devenues « consensuelles » comme le souligne une très commentée note de la Fondation pour l'innovation politique[2], les mesures migratoires danoises ont permis de produire un effet dissuasif sur les candidats à l'immigration : entre 2014, année précédant la crise

1. G. Myrdal, *Planifier pour développer : De l'État-providence au monde providence*, Paris, Les éditions ouvrières, 1963.
2. V. Delage, D. Reynié, A. Robin & M. Tchounikine, *La politique danoise d'immigration : Une fermeture consensuelle*, Paris, Fondapol, 2023.

des réfugiés et 2019, un an avant la crise sanitaire, le nombre total des demandes d'asile aura chuté de 82 %, passant de 14 792 à 2 716. Sur la même période, le nombre total de migrants dans le pays a chuté de plus de 14 %. Occupant jadis la deuxième place dans les principales préoccupations des Danois, l'immigration est désormais reléguée à la huitième place. Les inquiétudes quant à la pérennité de l'État-providence sont quant à elles passées de la troisième à la sixième place entre 2020 et 2022.

En Suède, les événements ont pris un tour tout à fait différent. Entre 2015 et 2016, le pays a accueilli plus d'étrangers par habitant que n'importe quel autre membre de l'OCDE, toutes époques confondues. Environ quatre fois plus que le reste des pays ouest européens à la même période. Au point de voir la part de sa population étrangère extra-européenne passer de 2 % en 1985, à 15 % en 2022 selon l'Institut national de statistique suédois. Une part qui atteint aujourd'hui 27 % – plus du quart de la population – si est prise en compte la seconde génération d'immigrés, née en Suède de deux parents nés à l'étranger.

Les conséquences de cet afflux visiblement supérieur aux capacités d'intégration économique du pays ont conduit à la privatisation progressive de son État-providence, pourtant constitutif de l'ADN politique de la Suède, et à l'explosion de la criminalité avec un dramatique phénomène de guerre des gangs responsable de plus d'un meurtre par jour et de davantage d'attaques à la grenade par habitant qu'au Mexique. « La Suède existe toujours, bien sûr. Mais d'un autre côté, tout ce qui comptait et faisait la fierté des Suédois a dramatiquement changé », déplore le journaliste Torbjörn Nilsson du quotidien *Svenska Dagbladet*. « Que ce soit le poids de l'immigration, d'où cette immigration provient, la façon dont les gens vivent aujourd'hui. Ce n'est plus la Suède dans laquelle Stieg Larsson écrivait ses romans… »

Les deux monarchies sœurs connaissent aujourd'hui, logiquement, des situations politiques diamétralement opposées. En dynamique constante depuis de nombreuses années, le mouvement nationaliste des Démocrates de Suède est parvenu à dépasser la barre des 20 % des suffrages exprimés lors des élections législatives suédoises de septembre 2022. Mettant ainsi un terme à la domination centenaire du parti social-démocrate sur le pays, grâce à une coalition gouvernementale conclue avec les différents partis de droite.

Alors que la social-démocratie multiplie les revers électoraux d'un bout à l'autre de l'Union européenne, la Première ministre et présidente du parti social-démocrate danois, Mette Frederiksen, s'est vue quant à elle confortablement reconduite à la tête de son pays en novembre 2022, à la stupeur de la plupart de ses homologues européens. Mieux, en arrivant en tête des législatives avec plus de 27 % des voix, son parti réussit malgré l'usure du pouvoir à battre son record de 2019 où il avait obtenu 25 % des suffrages.

Le mouvement nationaliste danois, le Parti du peuple, ne peut pas en dire autant. Après avoir connu son apogée au plus fort de la crise migratoire en 2015 en devenant la troisième force du pays avec 21 % des voix et 37 sièges au Parlement, il s'est spectaculairement effondré depuis. À mesure que le sujet de l'immigration, pris en charge par le gouvernement en place, a été neutralisé. En novembre 2022, le parti mené par Morten Messerschmidt n'a recueilli que 2,6 % des suffrages exprimés, son plus mauvais résultat vingt-quatre ans après son entrée au parlement. D'aucuns souligneront cependant, qu'à défaut de l'emporter dans les urnes, le Parti du peuple danois l'aura finalement emporté sur le terrain des idées en faisant adopter son logiciel jusque par ses principaux adversaires à gauche de l'échiquier politique.

Depuis ses bureaux du Riksdag, le parlement suédois à Stockholm, Lawen Redar, la députée social-démocrate et proche du Premier ministre socialiste de 2014 à 2021, Stefan Löfven n'en soupire pas moins à l'évocation de la politique conduite par son parti frère danois : « Nous restons l'un des plus grands partis sociaux-démocrates en Europe mais évidemment, toute réussite est un modèle. Nous devons nous inspirer du virage qu'ils ont opéré sur l'immigration. » S'il a été de loin le plus médiatisé, le parti social-démocrate danois n'est pas le seul à avoir opéré cette révolution sur les questions migratoires et à avoir adopté une politique de fermeté.

En Slovaquie, le SMER, la formation du Premier ministre Robert Fico, ancien communiste élu au mois d'octobre 2023, est à la tête d'un gouvernement alliant un parti nationaliste et la gauche. Il continue de se revendiquer de la social-démocratie, malgré sa forte hostilité à l'immigration et – peut-être plus original encore – son fort conservatisme sur les questions sociétales. L'Allemagne donne, quant à elle, un autre exemple de formation de gauche anti-immigration. Ancienne figure dirigeante de la gauche radicale Die Linke, Sahra Wagenknecht a lancé au mois d'octobre 2023 son propre parti politique : Pour la raison et la justice.

Armé d'un discours à la fois très social et très ferme quant à l'immigration, la députée au Bundestag ambitionne de « combler un déficit démocratique » dans son pays et espère rallier à elle une partie des électeurs du parti nationaliste en dynamique, l'AfD. Une enquête internationale réalisée par l'institut de sondage Ipsos dans 29 pays rapportait, en octobre 2023, que c'est en Allemagne que les inquiétudes concernant l'immigration étaient les plus fortes. 44 % de la population en font l'une des trois plus importantes préoccupations, y compris nombre d'électeurs issus de la gauche.

Une situation commune à nombre de pays européens, à commencer par la France. Selon un sondage BVA pour la Fondation Jean Jaurès[1] réalisé en février 2023, 51 % des électeurs de la France insoumise trouvent qu'il y a trop d'immigrés aujourd'hui dans l'Hexagone, à l'image de 50 % des électeurs Europe-Écologie les Verts. 71 % des électeurs de Jean-Luc Mélenchon trouvent que les immigrés originaires d'un pays européen ou de tradition chrétienne s'intègrent mieux dans la société française, comme 76 % des électeurs écologistes et 61 % des

1. A. ZULFIKARPASIC, *L'immigration, ce grand tabou (de la gauche)*, Paris, Fondation Jean Jaurès, 2023.

électeurs socialistes. Autant d'électeurs qui ne trouvent pour l'heure aucun débouché sur l'échiquier politique à gauche. De quoi promettre une pérennité certaine au Rassemblement national.

Si l'opposition à l'immigration donne l'impression d'une certaine unanimité parmi les forces nationalistes, la thématique peut aussi constituer un ferment de division. Le marathon qu'ont constitué les négociations à Strasbourg, puis entre États membres, autour du « Pacte asile et migration » européen, en a été un des exemples les plus éloquents. « Les forces nationalistes n'échappent pas à une réalité assez paradoxale », note la chercheuse Hanna Corsini. « Utiliser l'Union européenne comme bouc émissaire est assez payant électoralement pour les forces nationalistes. Donc, afficher une certaine solidarité avec les autres forces "sœurs" dans ce cadre n'est pas idéal. »

Grande défenseuse du Pacte européen, en ce qu'il permet un meilleur contrôle des clandestins aux frontières de l'Europe et, surtout, une plus grande solidarité des États membres avec les pays d'arrivée comme l'Italie, Giorgia Meloni s'est confrontée pendant de longs mois à l'hostilité, au sein même du Conseil européen, de ses alliés nationalistes polonais et hongrois. Quand, au Parlement de Strasbourg, le texte a rallié contre lui la grande majorité des élus nationalistes pourtant issus de son groupe des Conservateurs et réformistes européens (ECR) comme ceux issus d'Identité et démocratie (ID). Bien d'autres thématiques subsistent, cependant, pour les réconcilier. La lutte contre le « wokisme » et l'islamisme, en tête.

5.

« No country for woke men »
La bataille identitaire

C'est un peu leur festival de Cannes. Ce week-end de mai 2023, les représentants des principales forces nationalistes et conservatrices européennes se sont donné rendez-vous à Budapest. Pour la deuxième année consécutive, se tient dans la capitale hongroise le grand raout de tout ce que la Commission européenne abhorre. Ceux-là mêmes que les veilles d'élections, le Président français, Emmanuel Macron, regroupe derrière le terme de « lèpre populiste ». Il s'agit du « CPAC », acronyme de la Conservative political action conference, grand rassemblement créé à l'initiative de Ronald Reagan dans les années 1970 aux États-Unis, reprise en main depuis lors par l'aile la plus radicale du Parti républicain américain. Son directeur, l'ancien conseiller de Donald Trump Matt Schlapp, a décidé en 2021 de s'implanter sur le Vieux Continent. Quoi de mieux, pour ce faire, que de jeter l'ancre au pays de Viktor Orbán ? Ce chantre de la « démocratie illibérale » au pouvoir depuis 2010, dont la réputation « d'enfant terrible » de l'Union européenne en fait outre-Atlantique le cousin naturel du président américain déchu, Donald Trump.

Depuis les premières heures de la matinée, de luxueuses berlines noires munies de gyrophares déposent sous le crépitement des photographes chefs de partis euro-critiques, éditorialistes anti-immigration ainsi qu'une poignée d'élus américains en quête d'exotisme… Leur dépaysement ne s'annonce pas brutal. Aux portes de la Bálna, élégant centre commercial de verre sur les bords du Danube et privatisé pour l'événement, s'étale en immenses lettres capitales blanches « *No Woke Zone* ». Le ton est donné. La cohorte d'universitaires et de journalistes, qu'ils soient internationaux ou hongrois, venus couvrir l'événement vont vite découvrir, à leurs dépens, que ce qu'ils prenaient pour de la communication un brin tapageuse leur est en réalité aussi destinée. Tous se verront refuser l'accès à l'événement. Pour permettre une parole totalement débridée, les organisateurs ont garanti à leurs invités un parfait entre-soi. Quitte, pour y parvenir, à emprunter aux forces de gauche radicale tant honnies leur concept clé de « *safe space* ». Ces espaces de discussions « non mixtes » censés libérer la parole en prohibant la moindre possibilité de contradictoire…

En s'accréditant en tant qu'étudiants ou représentants d'entreprises privées, quelques madrés titulaires de la carte de presse ont pourtant trouvé la parade et réussi à s'infiltrer. À l'ombre d'une grande carte tricolore de la Hongrie, barrée du slogan « *No Country for Woke Men* », ils assistent à une prière de bénédiction de l'événement, très vite suivis du discours inaugural prononcé par l'un des principaux organisateurs, le directeur du Centre des droits fondamentaux hongrois, Miklos Szantho. Âgé de 34 ans, l'homme aux fines lunettes rondes et aux moustaches d'un autre âge appelle à prendre les armes idéologiques : « Quand on est attaqué, il faut se défendre ! » Contre, notamment, la tentative de domination de ce qu'il qualifie de « djihad libéral-vert » sur le continent, un « fléau » qui chercherait à détruire la famille et nier que « la vie est sainte depuis la conception ». Là est le cœur du discours qui sera tenu deux jours durant. La lutte contre les réformes sociétales progressistes portées par une partie de la gauche européenne parfois avec la bienveillance de gouvernements libéraux. Ces revendications identitaires et libertaires nouvelles, plus connues sous le nom de « wokisme ». Terme dont la définition académique[1] connaît des contours au moins aussi lâches et fourre-tout que celui d'« extrême droite ».

Outre un goût certain pour la provocation, Viktor Orbán partage avec Donald Trump une même inspiration conservatrice, un même ton populiste dirigé contre l'« agenda progressiste » d'élites mondiales face auxquelles ils se rêvent en porte-voix des « vraies gens ». Une communion qui a convaincu le Magyar d'importer dans son pays d'Europe centrale de moins de 10 millions d'habitants plusieurs combats culturels chers à son parent américain. La lutte contre ce « wokisme », dépeint en idéologie radicale visant à saper histoire et traditions pour leur substituer intérêts individuels et

1. Une des tentatives les plus abouties : P. VALENTIN, *Comprendre la révolution woke*, Paris, Gallimard, 2023.

droits particuliers de minorités, en est un. « La migration, le gender, le wokisme, ce ne sont que des variants du même virus. Une arme biologique développée dans des laboratoires libéraux progressistes », tonne ainsi sur l'estrade du CPAC Viktor Orbán. Avant de présenter la politique qu'il mène depuis 2010 dans son pays comme le seul antidote. « Un vaccin qui fonctionne partout, contre tous les variants progressistes et sans effets secondaires », livre-t-il dans une allusion transparente au Covid-19. Dans son sillage, le président du FPÖ autrichien Herbert Kickl, celui du Vlaams Belang belge Tom Van Grieken, comme le patron du parti portugais Chega André Ventura ou du Vox espagnol, Santiago Abascal, fulminent contre « l'offensive LGBT » et cette idéologie « woke » en Europe, « qui n'éveille pas mais rend obscur », souligne pour sa part le président du Rassemblement national, Jordan Bardella.

Une telle véhémence contre une idéologie, jusque-là plus bruyante qu'effrayante, peut surprendre. Avec ses revendications souvent extravagantes, parfois contradictoires, le « wokisme » n'a encore rencontré aucun succès électoral véritable dans aucun des États membres européens. Il voit pourtant coalisé contre lui, ce jour de mai 2023, les plus importantes forces nationalistes européennes, dont plusieurs chefs d'État. L'une des raisons est qu'il constitue un fabuleux moteur de vote, comme un puissant vecteur de droitisation d'une sociologie électorale jusque-là réfractaire au vote nationaliste. Prospérant dans les universités, depuis les départements de sociologie à l'image de ce qu'il s'est passé ces dernières années aux États-Unis, les revendications sociétales radicales rencontrent une certaine perméabilité dans les administrations publiques tant au niveau local que national. Braquant ainsi un électorat soucieux de ne pas voir disparaître le monde dans lequel il a grandi et qu'il espérait transmettre. « Un même phénomène est observable en France, en Italie, en Allemagne ou même en Belgique », renseigne Jean-Yves Dormagen, enseignant à l'École normale supérieure à Paris et fondateur de l'institut de sondage Cluster 17. « Un électorat âgé, plutôt aisé, qui grossissait jusque-là les rangs de la droite traditionnelle, se découvre très conservateur sur le plan culturel. Par réaction aux grandes transformations sociétales en cours, il s'allie de manière inédite avec un électorat issu des classes populaires, anti-système et identitaire. Cette alliance de ces deux grandes composantes alimente cette spirale nationaliste identitaire et populiste en Europe. »

En Espagne, le parti national-conservateur Vox est né en 2013 d'une scission avec le mouvement historique de la droite, le Parti populaire (PP), en raison notamment de désaccords sur les questions de l'avortement et du mariage homosexuel. La formation fondée par Santiago Abascal connaît depuis lors une impressionnante dynamique. Outre son opposition à l'indépendance de la Catalogne, les ferments de son succès proviennent directement du ressentiment né chez les électeurs de droite des réformes sociétales radicales votées par le gouvernement socialiste de Pedro Sánchez. Sous l'impulsion, notamment, de son turbulent allié Podemos dont l'une des figures de proue n'était autre que la ministre de l'Égalité, Irene Montero. Sur son initiative, et pour la seule année 2022, le gouvernement espagnol a fait voter une loi interdisant toute publicité pour des jouets « genrés ». Il a également passé une loi sur l'« autodétermination du genre », permettant aux adolescents de 16 ans de changer de sexe à l'état civil, sans autorisation parentale ni visite médicale préalable. Enfin, il a fusionné tous les délits sexuels en un seul, du harcèlement au viol, avec pour effet pervers d'abaisser la peine minimale pour les plus graves agressions... Autant de réformes qui ont eu pour effet de cabrer toute une partie de l'électorat espagnol, multipliant par deux les scores de Vox lors des élections locales suivantes, en mai 2023. Au point de faire élire des élus nationalistes dans la totalité des assemblées régionales. Comme de contraindre la droite traditionnelle à nouer avec eux des alliances pour diriger une dizaine de villes ainsi que l'importante communauté autonome de Valence.

Peu avant cette victoire, le président de Vox Santiago Abascal, nous confiait : « Les conversations qu'ont les familles le dimanche, les retraités au parc ou les travailleurs à la machine à café vont toutes dans le même sens. Ils sont tous préoccupés par l'inflation, les factures d'électricité, l'insécurité, la précarité de l'emploi, la dégradation des quartiers, les difficultés de fonder une famille... Pendant ce temps, les politiques, les médias, les intellectuels, les grands pouvoirs financiers et les syndicalistes sont absorbés par des débats sur le genre ou le bien-être animal... » Un constat qui n'empêchera pas son parti d'essuyer une contre-performance avec la perte de 19 députés, quelques mois plus tard, lors des élections générales de juillet 2023. Un échec que le chercheur Jean-Yves Dormagen tempère cependant : « Vox a payé une forme de vote utile et quelques erreurs de campagne », note-t-il. « Mais la situation à droite se caractérise par sa grande liquidité. 42 % des électeurs du Parti populaire ont hésité à voter Vox dans les derniers jours du scrutin. 52 % des électeurs de Vox hésitaient quant à eux à voter pour le PP. Cela démontre que la situation politique est instable et ces résultats ne préfigurent en rien ce qui peut advenir lors des élections européennes de 2024[1]. »

L'irruption de ces sujets sociétaux et leur prégnance nouvelle dans le débat public européen, confirment l'existence de deux importants mouvements de fond. D'une part, le retour au clivage structurant entre une droite et une gauche. Mais dont l'affrontement idéologique, d'autre part, ne se joue plus majoritairement sur les thématiques sociales, mais bien sûr le terrain identitaire. « Le clivage identitaire est devenu le premier, confirme Jean-Yves Dormagen, fondateur de l'institut de sondage Cluster 17. Qu'il s'agisse de la question de l'islam ou de celle du genre, ce sont systématiquement ces thématiques qui se révèlent les plus structurantes et les plus polarisantes dans la série de pays européens sur laquelle nous avons travaillé. » Ainsi, en Italie, la montée en puissance puis l'élection au poste suprême de Giorgia Meloni, cheffe de file d'une force conservatrice et identitaire, a eu pour corollaire de radicaliser la principale force de gauche du pays, le Parti démocrate italien. Qui a élu à sa tête, comme en réponse à Giorgia

1. Sondage dans son intégralité : J.Y. DORMAGEN, *Quelle Espagne après le vote ?*, Paris, *Le Grand Continent*, 2023.

Meloni, Elly Schlein à l'issue de primaires au mois de mars 2023. Une femme de 38 ans, bisexuelle revendiquée, qui lors de son discours d'intronisation s'est engagée à lutter « contre toutes les inégalités sociales et de genre ».

L'effet de cette polarisation identitaire nouvelle est peut-être visible davantage encore dans un autre pays latin, le Portugal. En 2019, y a été fondé un autre parti national-conservateur, Chega, dirigé par un autre lecteur assidu du philosophe Roger Scruton, André Ventura. Après avoir recueilli 1,29 % des suffrages lors des élections législatives l'année de son lancement, il tutoie les 12 % lors de l'élection présidentielle de 2021 et s'installe comme troisième force du pays lors des législatives suivantes en faisant élire douze députés. Une multiplication par dix de ses résultats électoraux en seulement trois ans d'existence d'autant plus frappante que le mouvement est, contrairement à ses voisins européens, privé d'un des vecteurs les plus importants du vote nationaliste : l'immigration. Malgré une année record, le nombre de demandeurs d'asile au Portugal est resté sous la barre des 2 000 en 2022. Tandis que l'immigration familiale, de travail et humanitaire représentait en cumulé à peine 60 000 personnes selon les chiffres de l'OCDE. Plus de trois fois moins qu'en France.

Depuis les salons de l'Assemblée nationale portugaise à Lisbonne, le vice-président de Chega, Pedro Frazao, ne cache pas quel est, selon lui, le principal ressort de la dynamique de son parti : « Nous sommes très attachés à la défense de la vie humaine quel que soit le stade de la vie. Nous sommes contre l'avortement et pour la défense des valeurs chrétiennes de la société et la défense de la famille naturelle. Nous défendons le fait que les humains sont des hommes et des femmes. » Le parti a, par exemple, connu un bond dans les sondages suite à la désignation d'un transgenre pour représenter le Portugal au concours de Miss univers. « Nous sommes le seul parti à nous y être opposé. Un homme qui prend la place d'une femme, ce n'est pas correct », livre le député. « Et puis nous portons un message anticorruption très fort contre les élites. »

Un message repris avec verve, quelques heures plus tard lors d'un meeting du groupe Identité et démocratie en lisière de Lisbonne, par la députée de 25 ans et coordinatrice du mouvement jeune de Chega, Rita Matias. « Nous voulons mettre fin à toute corruption politique. Mais nous ne devons pas avoir peur de dire que nous voulons aussi détruire toute corruption morale ! Nous ne pouvons pas rester impassibles et sereins alors que nos enfants sont victimes d'endoctrinement à l'école qui les conduit à douter de leur identité, qui les conduit à être sacrifiés sur l'autel de la chirurgie esthétique ou de bloqueurs d'hormones aux effets irréversibles. » Venue soutenir son allié, André Ventura, après la démission surprise du Premier ministre socialiste à la tête du pays, Marine Le Pen applaudit mais fait la moue. Ce conservatisme à l'état brut n'est pas son fort. Il n'empêche. Le Rassemblement national n'ignore pas que c'est pour une large part grâce à lui que les instituts de sondage s'accordent, en cette fin d'année 2023, pour créditer Chega de plus de 17 % d'intentions de vote aux européennes de 2024. 10 points de plus que son score aux dernières législatives, moins de deux ans auparavant. Une progression qui serait, là encore, sans précédent.

Bien que peu conservateur, dans un pays largement déchristianisé, le parti français à la flamme n'a pas voulu prendre le risque de déserter ce combat contre le « wokisme », dont s'est très rapidement saisi son rival nationaliste, le mouvement Reconquête ! fondé par Éric Zemmour. Au mois d'avril 2023, le Rassemblement national a consécutivement lancé sa propre association parlementaire dédiée à la lutte contre cette « idéologie de la déconstruction » et organisé à Paris, sous l'égide du groupe parlementaire européen Identité et démocratie, un colloque sur le sujet comme pour le préempter. Au gré des prises paroles, le député RN du Loir-et-Cher, Roger Chudeau, et l'eurodéputée RN Patricia Chagnon, promettent l'élaboration de propositions de lois « pour interdire la tenue de réunions non mixtes dans l'espace public ou l'accès au sport féminin par une femme transsexuelle et interpeller directement le gouvernement sur l'écriture inclusive ». Reste que derrière cette lutte contre le « wokisme » se cache une autre cible. Celle, véritable, de l'islamisme.

« La lutte contre le wokisme est en réalité aussi une lutte contre l'islamisme », assume Philippe Olivier, conseiller spécial et stratège de Marine Le Pen. « Le wokisme théorise une oppression structurelle, entre un oppresseur blanc, grand ou hétérosexuel et un opprimé, noir, petit ou transexuel. Les islamistes ont compris le bénéfice qu'ils pouvaient tirer de cette mécanique. Ils ont créé un oppresseur, “l’islamophobe”, pour faire passer les musulmans pour des opprimés. Se victimisant, ils culpabilisent les sociétés occidentales pour mieux les déconstruire. La première règle de toute subversion, c’est la démoralisation de l’ennemi afin qu’il ne se batte plus. » Un discours identitaire assez proche, finalement, de celui du candidat malheureux à la présidentielle de 2022, Éric Zemmour, prophète d’une guerre de civilisation qui, citant le penseur algérien Malek Bennabi, soutient : « “On ne cesse d’être colonisé qu’en cessant d’être colonisable, c’est une loi immuable.” Le wokisme n’est rien d’autre que l’idiot utile de l’islamisme. »

Lors des dernières législatives en France, à l’été 2022, le Rassemblement national a réussi à faire élire le nombre inédit de 89 députés. Une victoire sans précédent obtenue grâce à l’usure du cordon sanitaire et à l’effet répulsif qu’a eu, au second tour, une certaine gauche radicale sur un électorat jusque-là acquis à la droite traditionnelle – une classe moyenne et supérieure rurale ou périurbaine – au point de la faire basculer en faveur du parti nationaliste. Un phénomène identique à celui observé par le chercheur Jean-Yves Dormagen dans plusieurs pays européens, que confirme le RN Philippe Olivier tout en espérant l’amplifier : « La lutte contre le wokisme permet une jonction d’électeurs très différents qui peut aller au-delà de cette droite traditionnelle », analyse le conseiller de Marine Le Pen. « Des personnes de gauche attachées à la laïcité comme Paul Melun ou Elisabeth Badinter en France, mais aussi des personnes totalement dépolitisées mais douées de bon sens, comme des parents d’élèves effrayés par ce qui est en train de se dérouler dans certains établissements scolaires, découvrent partager avec nous des valeurs communes. »

Davantage qu'un combat, la lutte contre le « wokisme » se veut une arme pour les forces nationalistes. Aussi efficace pour faire basculer les électeurs de la droite traditionnelle que pour fracturer les rangs de la gauche, dans l'espoir d'en rallier une partie. Et ce, dans l'optique des européennes de 2024 mais aussi et surtout en vue des élections nationales. Pour préparer ces scrutins, les forces nationalistes disposent d'un tout nouveau terrain de jeu. « D'une certaine manière, l'écologisme est également un wokisme », réfléchit Philippe Olivier. « Cette idéologie procède d'une même vision des choses. Il s'agit de punir un prédateur, accusé d'exercer sur la nature une oppression de type patriarcale, comme celle que l'homme exerce sur la femme… » Outre le moteur historique de vote qu'est l'immigration, l'appât à nouveaux électeurs que constitue la lutte contre le « wokisme » et l'islamisme, émerge ces dernières années un troisième levier, ô combien porteur, pour les forces nationalistes sur le continent : la polarisation autour de la question environnementale.

6.

L'environnement, la bataille qui vient

La ferme s'invite à la ville. La cloche aux mains de l'huissier en costume de soie sonne l'ouverture de la séance inaugurale. Une inhabituelle effervescence s'empare du Sénat néerlandais à La Haye ce mois de juin 2023. Comme en embuscade, les caméras et photographes pointent leurs objectifs vers les portes. En attente de l'événement qui captive déjà tous les Pays-Bas et monopolise les conversations dans l'hémicycle jusqu'en tribune : l'arrivée, d'un seul bloc, du nouveau et désormais plus important groupe politique du vénérable cénacle. Celui des 16 sénateurs du Boer-BurgerBeweging, le jeune « mouvement agriculteur-citoyen », ou BBB. Tout juste élu après son triomphe aux élections provinciales, bâti sur la colère des campagnes contre les normes environnementales européennes.

Reconnaissables au trèfle à quatre feuilles épinglé à leur veston – leur emblème – les élus pénètrent d'un pas timide dans la chambre haute pour la première fois. Étouffant leur appréhension par un enthousiasme un brin surjoué. « Je me sens fier. La politique, j'y avais déjà pensé par le passé, mais c'était un rêve inaccessible », murmure impressionné Wim Jaspers, cultivateur de myrtilles bombardé sénateur au sud du pays. Vêtue d'une ample tunique couleur prairie, la présidente de groupe, Ilona Lagas, s'amuse des flashs qui crépitent alors qu'elle prête serment devant le président de séance. « J'ai l'impression d'être une *pop star*, c'est un peu ridicule », nous confie-t-elle. « Nous sommes désormais le visage de gens au Sénat qui n'en ont longtemps pas eu. C'est une lourde responsabilité. »

Sur les bancs bondés réservés au public, l'accueil se fait parfois plus mordant. « Regarde ces fermiers Koekoek, ils n'étaient rien et redeviendront bientôt rien », balance un homme à son voisin d'un coup de coude. Une allusion au vieux parti des fermiers, fondé par Hendrik Koekoek, qui connut dans le pays un éphémère succès dans les années 1950. « Il faut leur donner leur chance », tempère Roel van Gurp, sénateur écologiste depuis 2019. « Je suis très curieux de voir ce qu'ils vont donner… » D'expérience, le septuagénaire n'enterrerait pas aussi vite ce mouvement que rien ni personne n'a vu venir. Après trois ans seulement d'existence, la jeune formation politique vient alors d'arriver en tête dans chacune des douze provinces que compte le pays – celles-là mêmes qui élisent les sénateurs – et domine encore, en ce mois de juin, d'une large tête les sondages en cas d'élections législatives anticipées. Scrutin qui se tiendra finalement quelques mois plus tard, en novembre 2023, après la chute du gouvernement du libéral Mark Rutte. Sa coalition gouvernementale n'arrivant plus à s'accorder sur les délicates et fondamentales questions de l'écologie et de l'immigration.

D'un bout à l'autre de l'Union européenne, les forces nationalistes tournent leur regard sur la Hollande. Toutes ont observé l'impact des décisions européennes en matière environnementale, qu'il s'agisse de taxes, de quotas de production, de limites d'émissions de gaz à effet de serre ou d'intrants, sur leurs populations nationales. Tout particulièrement dans la ruralité, où ces forces réalisent parmi leurs plus hauts scores. Du Rassemblement national en France, à Vox en Espagne en passant par le Vlaams Belang en Belgique ou l'AfD en Allemagne, les nationalistes européens partagent un même pressentiment : la lutte contre ce qu'ils décrivent comme de l'« écologie punitive », pourrait bien devenir un puissant moteur de vote auxiliaire. Susceptible de rallier à leur cause tous ceux qui perçoivent ces myriades d'interdictions et de normes « hors sol », imposées sans pédagogie, comme des attaques en règle contre leur mode de vie. Voire, pour ce qui est des éleveurs, contre leur propre survie. Reste à trouver la façon idoine d'épouser ces sentiments, de les canaliser pour mieux les transformer, le moment venu, en bulletins à glisser dans l'urne. Pour les mouvements nationalistes européens, la « révolte des tracteurs » aux Pays-Bas et le BBB qui en est issu font office de canevas. Pour comprendre pourquoi, il faut remonter au 1er octobre 2019.

Ce jour-là, les tracteurs défilent au pas jusqu'à La Haye, formant une file indienne de plusieurs dizaines de kilomètres. Les fermiers sont en colère. Jos Bolk, éleveur de 400 blondes d'Aquitaine dans la région de Gueldre, s'en souvient parfaitement. Il en parle encore avec la chair de poule : « J'étais en tête du cortège de

8 000 tracteurs. C'était pacifique. Voir autant de collègues, ça donne chaud au cœur. » La manifestation sera la première d'une très longue série dont des épisodes surviendront jusqu'en 2022. En cause, la politique environnementale du gouvernement et de l'Union européenne visant à réduire drastiquement la pollution à l'azote. Celle-ci est majoritairement issue de la production agricole dont le pays est le deuxième exportateur mondial. À la suite d'une décision du Conseil d'État, 18 000 projets de construction sont stoppés en raison de leur proximité avec l'un des 203 sites Natura 2000 que compte le pays. Près de 3 000 fermes voient leurs permis, pourtant régulièrement délivrés par les provinces, déclarés illégaux. Des membres de la coalition au pouvoir réclament la division du cheptel du pays par deux. Une torche sur une meule de foin.

« Des gens dans des bureaux font des statistiques compliquées dont le seul but est de nous empêcher de travailler », s'emporte Jos Bolk, fermier de père en fils depuis neuf générations. « Ils veulent moins de vaches, moins de poulets, moins de fermiers… Qui va nourrir les gens ? » De cette colère, une femme va devenir le principal porte-voix : Caroline van der Plas. Charismatique, la quinquagénaire est une ancienne journaliste agricole, très active sur les réseaux sociaux, où elle défend l'élevage et la ruralité. Un mois après les premières manifestations, elle dépose avec deux de ses proches les statuts d'un nouveau parti politique. Le BBB est né. Si en Europe de nombreux mouvements populistes ont été fondés pour défendre une identité ou contre l'immigration, jamais jusqu'à présent ils ne l'avaient été en réaction à des politiques environnementales. « Caroline van der Plas a réussi à se présenter comme une citoyenne ordinaire, quelqu'un de normal en qui les gens pouvaient s'identifier », note Matthijs Rooduijn, chercheur au département de sciences politiques de l'université d'Amsterdam. « C'est une des explications de son succès. Au départ le BBB voulait représenter les intérêts des agriculteurs, il est progressivement devenu plus largement le porte-parole de la ruralité et d'un certain mode de vie à la campagne. »

Le pari est un succès. Le mouvement voit affluer les électeurs désabusés principalement issus du parti chrétien-démocrate, jusque-là premier parti dans la ruralité, mais aussi du Parti populaire au pouvoir (VVD) ou du nationaliste Parti pour la liberté (PVV). Leurs actions, comme jalonner le bord des autoroutes de drapeaux néerlandais retournés en signe de protestation contre le gouvernement, comme leur discours emprunt de « bon sens paysan » flirtant avec le climato-scepticisme trouvent un écho dans tout le pays. Au point d'emporter, à la surprise générale, un siège à la chambre des députés lors des législatives de 2021. Arrivée au parlement en tracteur, Caroline van der Plas séduit et élargit son audience au-delà des campagnes. Après avoir fait recette de la fracture entre une ruralité « oubliée » et des villes « s'accaparant tous les pouvoirs », le BBB fait évoluer son discours pour cibler les élites au pouvoir à La Haye ou Bruxelles. Jusqu'à attirer finalement à lui tous les mécontents de l'action gouvernementale jusqu'à ceux des grandes villes comme Rotterdam ou Amsterdam.

« On s'attendait à ce qu'ils réalisent un bon score. Mais pas au point d'arriver en tête dans les villes », témoigne abasourdie la sénatrice du parti de l'ancien Premier ministre Rutte, Paulien Geerdink, au lendemain des élections provinciales. « Cela démontre que le problème dépasse très largement la question agricole. C'est devenu une question de confiance vis-à-vis du gouvernement et des élus en général. » Membre de la coalition au pouvoir, la sénatrice du parti de gauche D66, Fatimazhra Belhirch, abonde : « Cette montée du BBB est de notre responsabilité. Nous n'avons pas suffisamment écouté les gens. On ne peut plus se borner à les traiter de contestataires. Le gouvernement et le parlement se sont laissé enfermer dans leur tour d'ivoire. » Outre la situation agricole, divers scandales touchant le gouvernement ont soufflé dans les voiles du BBB. Comme l'accusation ayant touché à tort de milliers de familles de fraudes fiscales, les contraignant à rembourser des années d'allocations familiales et les ruinant. Ou la multiplication de séismes, au nord du pays, directement issue de l'extraction intensive de gaz dans la zone, que le gouvernement a longtemps rechigné à stopper pour des raisons économiques.

Première force au Sénat comme dans chacune des provinces, le BBB va vite découvrir cependant que les véritables épreuves ne font que commencer. Depuis les années 2000, les Pays-Bas ont connu pléthore de forces populistes réalisant des raz-de-marée électoraux sans lendemains, celles-ci s'effondrant souvent plus vite encore qu'elles ne s'étaient élevées. Tel a été le cas de la force de Pim Fortuyn, leader nationaliste assassiné en 2002, ou plus récemment du FvD du conservateur Thierry Baudet voire même du PVV de Geert Wilders, avant que celui-ci ne renaisse de ses cendres de la plus fulgurante des manières… « Le BBB a tiré les leçons des forces populistes passées », soutient le chercheur Matthijs Rooduijn. « Caroline van der Plas a une personnalité très différente, elle est beaucoup plus ouverte au compromis. Son parti a de plus réalisé un énorme travail dans la sélection de candidats sérieux et crédibles pour éviter les polémiques. »

Rik Loaters, négociant de lait BBB fraîchement élu à la tête de la province du Gueldre, concède cependant : « Notre principal défi, c'est de réussir à avoir autant de personnes qui votent pour nous aux prochaines élections. Non plus parce qu'elles sont en colère mais parce qu'elles croient en nous et en ce que nous proposons. » Un pari finalement manqué lors des législatives du mois de novembre 2023, où le parti ne parviendra à faire élire que 6 élus, éclipsé en fin de campagne par une autre force populiste arrivée en tête : le Parti pour la liberté (PVV) du nationaliste anti-immigration Geert Wilders, qui a réuni 23 % des voix. Le mouvement agrarien est pourtant loin d'avoir dit son dernier mot. Les causes qui l'ont fait éclore puis progresser sont intactes. Déjà, les instituts de sondages le font renouer avec une certaine dynamique en vue des élections européennes…

Reste à déterminer ce que le BBB propose véritablement. S'il se revendique volontiers populiste – « c'est peut-être péjoratif pour certains, mais dans notre esprit cela veut seulement dire travailler pour le peuple, ne laisser personne sur le bord de la route », argue la sénatrice Ilona Lagas –, il est malaisé de le rattacher à quelque filiation idéologique que ce soit. Dans sa ferme non loin de Deventer, un porcelet dans chaque bras, le président du mouvement élu en 2021, Erik Stegink, entretient volontiers le flou : « Nous sommes le parti des gens normaux. De temps en temps nous sommes nationalistes, parfois de droite, parfois de gauche. Nous sommes pragmatiques. » Social lorsqu'il s'agit d'aider les plus démunis, le BBB se veut libéral pour ce qui est des baisses d'impôts, de taxes et plus largement pour la réduction de la place de l'État. Contre l'immigration « tant que le pays n'est pas capable d'accueillir les étrangers », le parti peine à dégager une véritable ligne sur les sujets de société. « Nous ne voterons jamais contre quelque chose qui aide les gens, défend la tête de groupe au Sénat, Ilona Lagas. Finalement peu importe de savoir ce que je pense ou le BBB pense. Nous voulons porter la voix de gens qui pensent par eux-mêmes… »

Reste une conviction, outre la défense de l'agriculture, sur laquelle le mouvement est au clair : sa défiance vis-à-vis de l'Union européenne. « Sur l'agriculture, c'est évidemment elle le problème, même si le gouvernement empire systématiquement ses décisions », tonne Ilona Lagas. « Ils ont un agenda caché qu'ils déguisent derrière l'écologie : ils veulent un monde où on ne se nourrirait de rien provenant des animaux ! » S'ils ne souhaitent en aucun cas quitter l'Union, les élus BBB se dépeignent volontiers en « eurocritiques », à l'image d'autres mouvements nationalistes en dynamique sur le continent à l'image de ceux rattachés au groupe des Conservateurs et réformistes européens (ECR).

« Nous sommes très attachés à la vision européenne des pères fondateurs », appuie Johan van Utrecht chargé par le jeune mouvement de nouer des contacts au Parlement européen. « Nous ne voulons pas de cette Europe fédérale, ni que 70 % des réglementations européennes continuent de peser sur les politiques locales. » Des positions qui n'ont pas refréné, bien au contraire, les tentatives de séduction de différents groupes politiques au Parlement européen, intéressés par les députés européens qu'ont un temps promis les sondages au jeune mouvement. Ainsi que les liens que celui-ci entretient avec nombre de mouvements agrariens frères qui éclosent un peu partout en Europe, à commencer par la Belgique et l'Allemagne. C'est finalement dans les rangs du principal groupe européen de droite, le Parti populaire européen (PPE), que siégeront les eurodéputés BBB.

Au mois de mai 2023, se réunissaient à Bruxelles dans l'enceinte même du Parlement européen, plusieurs représentants nationalistes de différents États membres à l'invitation du Rassemblement national. Au menu : un colloque intitulé : « De l'écologie à la décroissance agricole. » Agriculteurs hollandais, allemands et français étaient invités à témoigner des conséquences des politiques environnementales européennes sur leur quotidien. « On nous dit qu'on pollue, qu'on torture les animaux, on nous traite comme des déchets », explique l'un d'eux après avoir quelque peu glacé la salle en rappelant qu'un agriculteur néerlandais se suicidait tous les douze jours. Les prises de parole se suivent et se ressemblent. Les responsables politiques leur répondent par une promesse : celle d'épouser le même combat que le BBB aux Pays-Bas, et de le mener dans chaque pays comme au sein même de l'hémicycle européen.

« Cette politique environnementale européenne est un harcèlement indigne. Vous êtes une source d'inspiration pour nous tous et nous serons à vos côtés dans cette révolte des agriculteurs contre cette tentative totalitaire de l'Union », lâche l'eurodéputé Hermann Tertsch. « En Espagne, seul mon parti, Vox, combat cet agenda ! » De fait, le mouvement nationaliste vient dix jours plus tôt de doubler son nombre de voix lors des élections régionales par rapport à celles de 2019, notamment dans les régions agricoles de Murcie et de Valence, où la force nationaliste fait désormais partie de la majorité au pouvoir. L'eurodéputé allemand, Gunnar Beck, embraie en dépassant largement la cause des éleveurs : « Les Verts ne sont plus un mouvement écologiste, ils sont internationalistes et veulent mettre fin à tout ! » En prenant la tête du combat contre l'interdiction des chaudières à gaz et au fioul, son parti nationaliste, l'AfD, a rencontré plus d'adhésions qu'il n'en a jamais réunies avec la seule lutte contre l'immigration. À l'échelon fédéral, les sondages lui promettent entre 20 % et 23 % d'intentions de vote. Tandis que les agriculteurs, dans le pays, attaquaient l'année 2024 en paralysant nombre de routes par des cortèges de tracteurs, pour se rendre à des manifestations paysannes monstres de Munich à Berlin en passant par Nuremberg. Avant que la colère ne fasse finalement tache d'huile en France, où deux semaines durant, à la mi-janvier 2024, les principaux axes autoroutiers du pays seront eux aussi bloqués par les tracteurs.

Ces dynamiques n'ont pas surpris le Rassemblement national. Depuis des mois, l'eurodéputé RN Philippe Olivier en étudie méticuleusement les prémices et les soubresauts jusqu'à s'être rendu plusieurs fois en Hollande pour ce faire. Dans l'optique de la prochaine présidentielle, celui qui est également conseiller spécial de Marine Le Pen travaille au moyen d'épouser cette grogne contre les injonctions environnementales remettant en cause un certain mode de vie, particulièrement dans la France rurale. « Dans la ruralité, ils commencent à retourner les panneaux de leur commune, comme l'ont fait au tout début les Hollandais avec leurs drapeaux, c'est une contagion sourde qui touche toute l'Europe », livre-t-il, quelques semaines avant que la révolte ne gagne l'Hexagone. « Leur ressentiment peut tout à fait s'intégrer dans une vision politique généraliste. Nous y travaillons. » Avec, en cas d'échec, le risque que bourgeonnent de nouvelles offres politiques susceptibles de détourner un important potentiel électoral du RN.

Le large mouvement des Gilets jaunes en 2019, dont l'augmentation des taxes sur le carburant avait été l'un des déclencheurs, a précipité nombre d'électeurs RN dans l'abstention lors des élections européennes de 2019. Pour celles de 2024, le parti à la flamme observe avec attention la naissance d'une liste de la ruralité, soutenue par nombre de fédérations de chasse, de pêche, d'aficionados de la bouvine et du monde agricole, conduite par Willy Schraen, le patron de la Fédération nationale de la chasse... De quoi priver de précieux points la liste conduite par Jordan Bardella le 9 juin prochain. Voire de la faire arriver derrière celle du camp d'Emmanuel Macron.

Au sein des instances européennes, les dirigeants du Conseil comme les principales forces au sein du Parlement n'ont pas attendu une sanction dans les urnes en juin prochain pour réagir. Si sur le thème de l'immigration ou le « wokisme », l'Union européenne a longtemps préféré faire la sourde oreille aux mécontentements populaires. Elle semble, cette fois, avoir pris au sérieux les colères suscitées par son agenda environnemental. « Ils sont en train de sentir un peu que le sol se dérobe sous leurs pieds. Une mécanique impressionnante est enclenchée. Avec un niveau de polarisation sur les questions environnementales qui la rend quasi-inarrêtable », alerte le professeur à l'université de Montpellier et à l'École normale supérieure, Jean-Yves Dormagen[1].

Par décision commune de plusieurs chefs d'États européens jusqu'aux plus libéraux, Emmanuel Macron en tête, un « moratoire réglementaire » dans la mise en œuvre des mesures de décarbonation a été arrêté au mois de mai 2023. Ce qui équivaut au report *sine die* de l'exécution des quelques 32 textes législatifs composant le Pacte vert européen, véritable pierre angulaire du mandat d'Ursula Von der Leyen à la tête de la commission européenne. Celui-ci ambitionnait de réduire de 55 % les émissions de CO_2 des États membres par

1. Pour une étude détaillée de l'évolution des opinions européennes face à la crise climatique et aux politiques qu'elle induit : J. Y. DORMAGEN, *Comprendre le nouveau clivage écologique : données inédites*, Paris, Revue Grand Continent, 2023.

rapport à 1990 d'ici à 2030, pour viser la neutralité carbone à horizon 2050.

« Si on veut une politique climatique qui reste ambitieuse, il faut tenir compte des PME et des citoyens », assurait lors d'une conférence de presse la vice-présidente du Parlement européen issue du PPE, Roberta Metsola en septembre dernier : « Il y a ceux qui ne peuvent pas financièrement se mettre en conformité avec des réglementations trop contraignantes. On ne peut pas se permettre de les perdre au profit des populistes. » Une première victoire à bas bruit, célébrée jusqu'aux Pays-Bas. Franz Zander, éleveur de 130 vaches laitières à la frontière hollandaise avec l'Allemagne lâche tout sourire : « Toutes les révolutions ont commencé avec les agriculteurs. »

7.
La mort de l'euroscepticisme

Costume ajusté et lunettes rondes, celui qui est encore Premier ministre de Pologne fend les travées de l'Alte Aula, le grand auditorium de la vieille université de Heidelberg. Fondée au XIVe siècle, la faculté est la plus ancienne d'Allemagne. Nombre d'étudiants illustres ont fait leur classe sous ses boiseries. Du père de la sociologie Max Weber, à la philosophe Hannah Arendt en passant par le fondateur de la psychologie Wilhelm Wundt ou l'ancien chancelier allemand, Helmut Kohl. Le choix, par Mateusz Morawiecki, d'une telle université, dans l'un des pays moteurs de l'Union, pour exposer en ce mois de mars 2023 ses vues sur l'avenir d'une « Europe à un tournant historique » ne doit rien au hasard. Son discours se veut une réponse au fameux discours de la Sorbonne prononcé, six ans plus tôt, par Emmanuel Macron. Tout juste élu Président de la République, le jeune chef de l'État français y avait dévoilé sa vision pour l'avenir de l'Europe, articulée autour du renforcement de la souveraineté et de l'identité européennes. Le national-conservateur polonais vient, lui, lancer un plaidoyer pour la souveraineté et l'identité des nations européennes, contre leur dilution dans un vaste ensemble européen en proie au fédéralisme. Une vision diamétralement opposée, exposée dans un discours qui, tant par sa précision que sa densité, se veut fondatrice pour le projet européen que porte le nationalisme contemporain.

« Tout système politique qui ne respecte pas la souveraineté d'autrui, la démocratie ou la volonté élémentaire de la nation, conduit tôt ou tard à l'utopie ou à la tyrannie », attaque depuis le pupitre d'honneur, à l'ombre du buste du Grand-duc de Bade, Frédéric Ier, le chef de file du parti nationaliste polonais Droit et justice (PiS), depuis neuf ans au pouvoir. Les mots ne se veulent en rien eurosceptiques. Nulle remise en question de l'Union européenne ou de l'existence d'institutions transnationales dans son discours. Mais une critique virulente de l'intégration européenne qu'il perçoit comme se déroulant à marche forcée ces dernières années, avec des transferts de compétences toujours plus nombreux des États membres vers l'Union. Jusqu'à dessiner à l'horizon le spectre d'un super-État fédéral européen. « Nous avons besoin d'une Europe qui soit forte grâce à ses États-nations, et non d'une Europe construite sur leurs ruines », tonne Morawiecki. « Les alternatives sont soit une utopie technocratique, que certains à Bruxelles semblent envisager, soit un néo-impérialisme, qui a déjà été discrédité par l'histoire moderne », livre-t-il dans une allusion transparente aux totalitarismes du XXe siècle.

Face au regard quelque peu interloqué du ministre-président écologiste de la région allemande de Bade-Wurtemberg, Winfried Kretschmann – fédéraliste européen convaincu qui plus est – l'homme fort de Pologne avertit : « Je mets en garde tous ceux qui veulent créer un super-État gouverné par une élite restreinte. Si nous ignorons les différences culturelles, le résultat sera l'affaiblissement de l'Europe et une série de révoltes, peut-être même un nouveau Printemps des nations comme celui de 1848... » Rien de moins. Pour l'éviter, le chef de gouvernement décline son projet d'une « Europe des nations ». Basée sur une réconciliation du continent avec son histoire et ses valeurs chrétiennes, autant que sur une exaltation de la diversité de chaque État membre par le biais de l'affirmation de leurs identités nationales.

« Je suis européen parce que je suis polonais, français ou allemand, et non parce que je nie ma polonité ou ma germanité », table Mateusz Morawiecki. Avant de citer le général de Gaulle : « Dante, Goethe, Chateaubriand appartiennent à l'Europe dans la mesure où ils étaient respectivement et éminemment italien, allemand et français. Ils n'auraient pas été d'une grande utilité à l'Europe s'ils avaient été apatrides et s'ils avaient pensé et écrit dans une sorte d'espéranto ou de volapük. »

Le plan du nationaliste polonais se veut radical : mettre un coup d'arrêt à la dynamique centralisatrice de l'Union européenne, faire de la subsidiarité la règle, jusqu'à contraindre les institutions européennes à abandonner toute compétence ne lui ayant pas été dévolue par le traité de Rome de 1957... Un retour vers le futur. « Le conflit d'aujourd'hui est entre la souveraineté des États et la souveraineté des institutions ; entre le pouvoir démocratique du peuple à la base et l'imposition du pouvoir du haut vers le bas par une élite restreinte, théorise Morawiecki. Les États membres doivent retrouver leur pleine autorité sur les traités. »

Relativement peu lu et commenté, ce discours apparaît pourtant comme l'un des plus détaillés et aboutis sur le projet européen qu'entendent porter les forces nationalistes en Europe. Il survivra à son auteur, défait quelques mois plus tard dans les urnes en Pologne. Dans une conjoncture internationale lui étant momentanément favorable grâce au soutien apporté par son gouvernement à l'Ukraine, Mateusz Morawiecki donne chair et corps à la déclaration de Prague de 2009, le texte fondateur de ses alliés du parti et du groupe parlementaire des Conservateurs et réformistes européens (ECR). Quinze ans ont beau avoir passé depuis sa publication, la conception d'une « Europe des nations » qu'elle porte, alternative au projet fédéraliste défendu par la coalition dominante en Europe, trouve désormais une résonance bien au-delà des seuls conservateurs. Elle est peu ou prou devenue hégémonique dans les rangs nationalistes.

Dans les années 2010, la vision « euroréaliste » portée par une partie des membres fondateurs d'ECR était perçue comme des plus singulières par rapport aux cinquante nuances d'euroscepticisme défendues par la kyrielle de forces souverainistes sur le continent. Pour ces dernières, Front national en tête, il n'a longtemps pas été question de changer l'Union européenne de l'intérieur comme le défendait ECR, mais plutôt de rompre purement et simplement avec elle. Nombre de mouvements nationalistes, à l'image de celui de Marine Le Pen, défendaient alors une sortie de leur pays de l'Union européenne ou un abandon de l'euro comme monnaie unique. Près de quinze ans plus tard, plus aucune force nationaliste ne le réclame.

« Il ne faut pas quitter la table de jeu quand vous êtes en train de gagner », lâche dans un sourire le conseiller spécial de Marine Le Pen, l'eurodéputé RN, Philippe Olivier. Même le Parti de la liberté (PVV) du Hollandais Geert Wilders a été contraint d'abandonner son projet de sortie de l'Union européenne – ou « *Nexit* » –, peu avant d'arriver en tête lors des élections générales de novembre 2023 dans son pays. Pour démontrer la détermination de sa formation politique à entamer un bras de fer avec les institutions européennes, la coprésidente des nationalistes allemands de l'AfD, Alice Weidel, a provoqué la stupeur jusque dans son camp. Répétant dans une interview au *Financial Times* de janvier 2024 son intention de juguler les pouvoirs de la Commission européenne, la députée a assuré que si cela s'avérait « impossible et que si sa formation politique parvenait au pouvoir », elle « organiserait un référendum » pour réclamer un « *Dexit* » : soit une sortie de l'Allemagne de l'Union européenne. Des propos très vite relativisés par les autres dirigeants du mouvement. Lors d'un congrès du parti tenu à Magdebourg, à l'été 2023, l'AfD avait justement arrêté que la campagne des européennes ne se ferait pas sur la promesse d'une telle rupture, jugée désormais trop impopulaire. 67 % des Allemands considèrent que l'appartenance à l'Union européenne est une bonne chose[1]. Davantage

1. Eurobaromètre, octobre 2023.

que la moyenne de l'UE. Entre les forces nationalistes, les différences se sont progressivement lissées. Les nuances se sont estompées, jusqu'à aboutir à une vision commune : celle d'une « Europe des nations », telle que théorisée et défendue par Mateusz Morawiecki.

Bien sûr subsistent entre les forces nationalistes nombre de différends. La guerre en Ukraine reste une fracture profonde entre les soutiens indéfectibles de Kiev que sont Fratelli d'Italia ou le PiS polonais et ceux hostiles à son armement comme le Fidesz de Viktor Orbán ou le Rassemblement national. L'opportunité d'un élargissement de l'Union européenne aux Balkans occidentaux, aussi, est une cause de profond désaccord. Nationalistes français et allemands y sont opposés, à l'inverse des Hongrois, des Polonais ou des Italiens, persuadés qu'ainsi la puissance de l'Allemagne sera davantage contrebalancée. Quitte à devoir abandonner la règle de l'unanimité pour certaines décisions capitales de l'Union européenne. Il n'en demeure pas moins que pour ce qui a trait au fond du projet européen, un consensus domine.

Huit mois après le discours de Heidelberg, les forces nationales-populistes du groupe Identité et démocratie (ID) vont en donner une parfaite illustration, en se donnant rendez-vous à Florence, en Italie, fin 2023. Toutes sont venues lancer leurs campagnes européennes autour du chef de file de la Lega, Matteo Salvini. Sur l'estrade, défilent nombre de leaders populistes, hier encore parmi les plus anti-européens. « Nous ne sommes pas contre l'Europe mais pour l'Europe. Le rêve de l'Europe a été violé par une classe politique verte et de gauche. Tous ceux qui critiquent l'Union européenne doivent collaborer », lâche Gerolf Annemans, eurodéputé du mouvement nationaliste Flamand Vlaams Belang et président du Parti Identité et démocratie.

Tête de liste aux élections européennes et président du Front devenu Rassemblement national, Jordan Bardella tonne devant ses alliés depuis la forteresse de Basso : « Nous devons rompre avec cette Europe du renoncement pour renouer avec celle de la grandeur et de la puissance ; celle de l'alliance européenne des nations libres, souveraines, capables de coopérer ensemble sur les grands chantiers du futur. » En clair, une vision moins eurosceptique qu'« eurocritique », désormais partagée par tous les autres candidats ou chefs de partis populistes appelés au pupitre. À l'image du jeune Français, nul ne remettra sur l'établi le projet d'une sortie de l'Union européenne. Tous ont intériorisé que celle-ci ne peut plus être défendue comme elle l'a été avant 2019 et, *a fortiori*, comme lors des élections européennes de 2014.

La raison n'est pas à chercher dans quelque succès véritable ou saisissant de l'Union européenne ces dernières années. Celle-ci n'est pas davantage parvenue à tisser un lien affectif avec ses ressortissants que par le passé. Mais la succession de crises traversées, particulièrement depuis 2019, a comme rebattu les cartes dans les rangs populistes. Le Covid-19, tout d'abord. L'épidémie mondiale a suscité chez les Européens un besoin de protection, trouvant à tort ou à raison dans la force des institutions européennes une forme de refuge. C'est ce que le politologue américain John Mueller théorisait, dans les années 1970, sous le terme d'« effet drapeau[1] ». Un autre évènement est venu presque simultanément mettre à mal la crédibilité des théories les plus eurosceptiques portées jusque-là par nombre de populistes européens : l'échec retentissant du Brexit.

Une faillite, désormais reconnue jusque dans les rangs des premiers instigateurs du divorce entre la Grande-Bretagne et l'Union européenne. Nigel Farage, l'ex-eurodéputé britannique et chef de l'éphémère Parti du Brexit, ayant par exemple été contraint d'admettre au micro de la BBC en mai 2023 que non seulement l'entreprise a échoué sur le plan économique, mais aussi et surtout sur le plan migratoire. Une confession des plus douloureuses pour toutes les forces eurosceptiques qui, d'un bout à l'autre du continent, avaient applaudi le « courage » et la « clairvoyance » du peuple britannique lors de son vote en faveur d'une séparation unilatérale d'avec l'Union. Ce qui était devenu de plus en plus délicat à soutenir, est devenu totalement inaudible au lendemain de l'invasion russe de l'Ukraine.

Le retour de la guerre sur le continent n'a fait que renforcer l'effet drapeau déjà cité, en plus de dissuader les Européens de toute velléité de rupture avec la solidarité intra-européenne face à l'impérialisme de Vladimir Poutine. De par cette succession de crises et sans qu'elle n'y soit pour grand-chose, l'Union européenne aura engrangé plus de légitimité et d'assise auprès des Européens ces trois dernières années que durant

1. J. Mueller, *La popularité présidentielle de Truman à Johnson*, Washington, *American Political Science Review*, 1970.

les trente précédentes. Condamnant ses plus hardis contempteurs, encore et toujours partisan d'un « *exit* », au pire camouflet dans les urnes. « On le voit partout en Europe », confirme Jean-Yves Dormagen. « Quel que soit le pays européen dans lequel nous avons pu travailler, il n'existe plus de demande de rupture franche avec l'Union européenne ou sinon très résiduelle. »

Si l'euroscepticisme d'hier est pour l'heure bel et bien mort, la critique de l'Union européenne, elle, a rarement été aussi porteuse. « S'il y a peu de demandes de rupture, il n'existe en revanche aucune demande pour davantage d'Europe », complète Jean-Yves Dormagen chiffres à l'appui. La puissante dynamique derrière les forces national-conservatrices et populistes d'un bout à l'autre du continent suffit à s'en persuader. Désormais réconciliés sur leur projet européen comme sur la façon de le faire advenir, les nationalistes ciblent un même ennemi commun : le fédéralisme européen. Les voix nationalistes ne font ainsi plus qu'une lorsqu'il s'agit de critiquer l'accaparement par l'Union européenne de nouvelles compétences au détriment des États membres, comme contre toute tentative des institutions supranationales d'imposer une politique centralisée et verticale, fusse-t-elle prévue par les traités.

De passage à Paris mi-décembre, le Premier ministre hongrois, Viktor Orbán, attaque : « Certains pays comme la France ou l'Allemagne ont introduit de nouveaux instruments au sein des institutions européennes qu'ils peuvent utiliser contre nous, les autres pays plus attachés à leur souveraineté, pour les forcer à accepter un fonctionnement centralisé dont nous ne voulons pas. » Peu avant de dîner avec le Président Emmanuel Macron, le chef de l'État magyar en vient à regretter le départ britannique de l'Union européenne : « S'ils étaient encore dans l'Union, ces idées ne seraient même pas évoquées, ils n'auraient jamais laissé cela se produire ! » Une idée martelée également dans le discours de Mateusz Morawiecki : « Nous ne voulons pas d'une Europe qui pose un ultimatum : renoncez volontairement à votre nationalité ou nous exercerons sur vous toutes sortes de pressions politiques et économiques pour que vous le fassiez. »

Dans le viseur des Premiers ministres hongrois et polonais, outre les condamnations de la Cour européenne des droits de l'homme (CEDH), la jurisprudence de la Cour de justice de l'Union européenne (CJUE) – sa conception extensive de la notion d'« État de droit » notamment – ou le mécanisme nouveau de conditionnalité des subventions européennes… Autant de procédures et de décisions perçues comme des ingérences venant entraver leur droit de gouverner comme bon il leur semble.

L'histoire n'est pas nouvelle. Dès 1991, la Cour européenne des droits de l'homme, dans sa décision Moustaquim, crée presque *ex-nihilo* un droit opposable au regroupement familial. L'article 8 de la Convention européenne des droits de l'homme, initialement rédigé pour garantir le secret des correspondances, y est interprété par la CEDH de manière extensive comme garantissant un droit fondamental à la vie privée et familiale. La décision n'a eu que peu d'effets en France, puisqu'un tel principe avait déjà été sacré en 1977 par le Conseil d'État puis par le Conseil constitutionnel. Cette jurisprudence n'en demeure pas moins, ailleurs en Europe, un obstacle à nombre de politiques visant à réduire les flux migratoires. Au point qu'un État membre comme le Danemark, en pleine crise migratoire, a préféré essuyer un déluge de condamnations de la CEDH plutôt que de s'y conformer : « La politique migratoire danoise se décide au Danemark, pas à Strasbourg », martelait ainsi, en 2016, la ministre de l'Intégration et de l'Immigration danoise, Inger Støjberg, aujourd'hui présidente de la jeune formation nationaliste des Démocrates danois.

C'est un véritable bras de fer qu'impose, pour sa part, la Cour de justice de l'Union européenne (CJUE) avec les gouvernements ne partageant pas ses vues, nationalistes en tête. En août 2022, la Cour du Luxembourg arrête que « les bateaux d'organisations humanitaires qui font du secours en mer ne peuvent pas être contrôlés par l'État où elles débarquent ». Comme une réponse à la politique initiée, en 2019, par le ministre de l'Intérieur italien de l'époque, le nationaliste Matteo Salvini, d'arraisonner tous les navires d'aide aux migrants en Méditerranée. En 2020, la même juridiction déclarait contraire au droit de l'Union la nouvelle législation hongroise imposant des obligations d'enregistrement, de déclaration et de publicité aux ONG et associations – notamment d'aide aux migrants – bénéficiant de fonds majoritairement étrangers. Peu avant de taper sur les doigts de l'Autriche, en juin 2022, en lui rappelant que « les travailleurs migrants doivent profiter des politiques sociales de l'État d'accueil dans les mêmes conditions que les travailleurs nationaux ».

Autant de décisions dont usent les forces nationalistes pour démontrer à leurs électeurs la nécessité d'une « reprise de contrôle » sur l'Union européenne si les États membres espèrent avoir encore la main sur un domaine comme l'immigration – une « compétence partagée » selon la lettre des traités européens. Ainsi, la décision de la CJUE de septembre 2023, interdisant aux forces de l'ordre françaises de refouler un migrant venant de traverser la frontière avec l'Italie, sans lui laisser un « certain délai » pour quitter « volontairement » le sol national, a donné de formidables munitions au Rassemblement national. Y compris contre le gouvernement en place. Pour pallier ces décisions, certains gouvernements adoptent la stratégie de l'autruche, à l'image du Danemark durant la crise migratoire, faisant fi des injonctions comme des condamnations de la Cour. Plusieurs forces nationalistes proposent quant à elles, à l'image du Rassemblement national, une voie politiquement plus musclée bien que claudicante juridiquement : réviser la Constitution ou la loi fondamentale de leur pays pour affirmer leur supériorité sur les jurisprudences européennes dans l'espoir de rendre ces dernières stériles.

La plus spectaculaire tentative remonte à 2021, lorsque le gouvernement polonais, alors dominé par les nationalistes du PiS, a eu l'idée de renverser le paradigme et de questionner sa cour suprême sur la constitutionnalité de certaines dispositions des traités européens : « Les organes de l'Union européenne fonctionnent en dehors des compétences qui leur sont confiées dans les traités », a statué la haute juridiction de Varsovie. Avant de juger inconstitutionnelle « la tentative d'ingérence de la CJUE dans le système judiciaire polonais qui remet en cause les principes d'État de droit, de la primauté de la Constitution polonaise ainsi que le principe de sauvegarde de la souveraineté dans le processus d'intégration européenne ». Si l'arrêt eut alors l'effet d'une bombe à Bruxelles comme dans le reste de l'Union au point de se voir qualifier de « *polexit* juridique », il n'eut que peu d'effets concrets. En raison, notamment, de nombreux autres leviers de pression à la main des institutions européennes pour garantir la « primauté du droit européen ». À commencer par la conditionnalité du versement des fonds européens au respect de l'« État de droit ».

Deux mois après l'arrêt de la cour suprême de Varsovie, la Commission européenne enclenche une « procédure d'infraction » à l'encontre de la Pologne. La sixième depuis 2017. Prévu par l'article 7 du Traité sur l'Union européenne, ce mécanisme est considéré comme le plus puissant des institutions contre un État membre. Il permet de le sanctionner en le privant de certains de ses droits – y compris son droit de vote – et, depuis 2020, de ses fonds européens. Pour activer cette « procédure d'infraction », l'existence d'une violation grave et persistante à l'« État de droit » par un État membre doit être observée. Notion visée à l'article 2 du Traité sur l'Union, mais interprétée de manière très extensive par la Cour de justice de l'Union incluant notamment, outre l'organisation du pouvoir judiciaire causant à la Pologne nombre de poursuites, la défense des minorités sexuelles, cause du gel des fonds européens jusqu'à aujourd'hui destinés à la Hongrie. « Avant l'Europe faisait rêver, maintenant elle fait chanter », résume l'eurodéputé Rassemblement national Thierry Mariani. Une conviction partagée par l'ensemble des forces nationalistes sur le continent, même si, une fois au pouvoir, elles arpentent des chemins très différents pour s'en départir. La preuve par la Hongrie de Viktor Orbán, et l'Italie de Giorgia Meloni.

8.

Le pot de fer européen contre le pot de terre hongrois

Une cohorte de drapeaux hongrois se dresse tel un mur tricolore, qu'aucune bannière étoilée ne s'est risquée à venir panacher. La scénographie de ce vingt-deuxième discours sur l'état de la nation renforce, cette année plus que toute autre, le propos courroucé de l'homme fort de la république magyare. Sur les rives du Danube, devant un parterre d'élus et de fidèles réunis au bazar du château de Buda, Viktor Orbán s'accorde autant de satisfécits qu'il martèle les divergences qui l'opposent à ses partenaires de l'Union européenne : « La Russie a attaqué l'Ukraine, nous avons donc l'obligation d'accueillir les réfugiés ukrainiens. Mais nous voyons aussi que dans la guerre d'Ukraine ce ne sont pas les armées du Bien et du Mal, mais les troupes de deux pays slaves qui se livrent une guerre circonscrite dans le temps et l'espace. C'est leur guerre, pas la nôtre. » Dernier empêcheur d'armer en rond à la table du Conseil européen, le Premier ministre Hongrois s'érige en chef du « parti de la paix ». Le reste des États membres sont, eux, pointés comme appartenant au « camp de la guerre ». En plus d'être désignés comme les responsables idéaux de la flambée des prix qui ronge la Hongrie, plus que tout autre pays sur le continent : « Les sanctions sont les armes de guerre de la politique de Bruxelles. Elles visaient la Russie, mais c'est l'Europe qu'elles ont atteinte. Si Bruxelles veut à tout prix faire la guerre, elle devrait la déclarer à l'inflation ! Nous menons la nôtre sans discontinuer. »

La rhétorique eurosceptique est huilée, éprouvée. L'homme fort d'Europe centrale réitère, bravache, derrière son pupitre, la recette à laquelle il doit la plupart de ses succès. Celle que ses homologues nationalistes européens ont longtemps tenté d'emprunter, sans connaître toujours le même succès, ni jamais la même longévité. Du populisme européen contemporain, Viktor Orbán a écrit les chapitres fondamentaux. Il est à l'origine de ses principales innovations. Au pouvoir en Hongrie depuis 2010, cet ancien libéral a fait de son petit pays enclavé de moins de dix millions d'habitants un laboratoire pour nationalistes et conservateurs du monde entier. Au point de faire sortir de l'inconscient européen cette terre singulière « géographiquement centrale, culturellement à l'Ouest et politiquement à l'Est », comme l'écrivait en 1983 Milan Kundera, dans son essai *L'Occident kidnappé*. De quoi se voir sacrer, un temps, chef de file et inspirateur de tous les nationalistes européens, qu'ils soient de France, d'Italie ou de Suède. Du moins, jusqu'à ce que la guerre en Ukraine et la mise au ban du Magyar de l'Union européenne ne finissent par faire pâlir l'étoile du « modèle hongrois ». Jusque dans les rangs de ses plus fervents partisans, la leçon est désormais bien intériorisée : on ne tient pas impunément tête à l'Union européenne en son sein. Si cela peut s'avérer efficace électoralement, cela à aussi un prix. Et il est exorbitant.

Pour la quatrième fois consécutive, Viktor Orbán a remporté au printemps 2022 plus des deux tiers des sièges du parlement hongrois. La plupart des observateurs l'estimaient perdu en raison d'une coalition inédite et hétéroclite des plus importantes forces d'opposition du pays contre lui. En vain. Le Premier ministre eut peu de temps pour savourer son succès avant d'être happé par des défis bien différents. Les plus âpres qu'il ait eu, jusqu'à présent, à relever. Du fait de la guerre en Ukraine et de la crise énergétique, la hausse des prix a dépassé les 25 % sur l'année. Ceux de l'alimentation se sont envolés quant à eux au-delà des 50 %, après un été sans pluie qui a fait plonger ce pays agricole en peine de récoltes. Peu de gouvernements occidentaux auraient résisté à moitié moins de plaies semblables. Celui d'Orbán continue de jouir, après douze ans au pouvoir, d'une insolente popularité et d'une position politique hégémonique. « Kim Jong-un aussi est très populaire dans son pays… », s'agace depuis ses bureaux à la mairie de Budapest le leader de la coalition malheureuse aux dernières élections, Péter Macky Zay. Avant de souffler, défaitiste : « Orbán ne peut être battu. L'unique espoir, c'est l'Union européenne. » Une espérance lâchée sans la moindre hésitation sur la légitimité qu'aurait l'Europe à soutenir davantage une politique qu'une autre, à faire tomber un gouvernement démocratiquement élu au profit d'un autre.

Or s'il est un domaine où le « modèle hongrois » a longtemps fait école chez ses partenaires nationalistes en Europe, c'est justement sur sa capacité à rejeter la responsabilité des maux de la société sur l'Union européenne et à fédérer la population sur son dos. Assumant haut et fort ses désaccords politiques avec Bruxelles, Viktor Orbán en use de longue date comme autant d'arguments électoraux. Tel a été le cas toute l'année passée sur son opposition aux sanctions européennes à l'égard de la Russie. Une position justifiée par la dépendance de la Hongrie au pays de Vladimir Poutine, d'où il importe 65 % de son pétrole et 80 % de son gaz. Qu'importe que la Hongrie bénéficie d'une exemption à l'embargo européen sur le pétrole russe et qu'il n'en existe pour l'heure aucun sur le gaz, les sanctions européennes sont directement pointées comme responsables de l'inflation au niveau national grâce à des moyens de communication colossaux.

« Les Hongrois ont décidé : 97 % disent NON aux sanctions ! » Depuis l'aéroport de Budapest jusqu'aux confins du pays, la nouvelle campagne d'affichage du gouvernement saute aux yeux en ce glacial mois de février 2022. En lettres capitales, elle s'étale sur les panneaux de toutes dimensions. Au détour des plus fines ruelles, comme au bord des plus larges autoroutes. Si le gouvernement n'a pas encore rendu public le coût de l'opération, les forces d'oppositions l'évaluent à 3 milliards de forints, 1,5 million d'euros. Peu ou prou la totalité de leur budget de propagande dépensé lors des dernières législatives. Le procédé est la clé de voûte de la stratégie de communication de Viktor

Orbán : organiser une à deux fois l'an des plébiscites, grimés en consultation nationale ou référendum selon les sujets. Grâce à des questions pour le moins suggestives, les résultats tombent rarement en dessous des 80 % en faveur des positions du gouvernement. Ils sont ensuite placardés et relayés tous azimuts. Faisant ainsi office d'arme de persuasion massive autant que de vecteur de légitimation du pouvoir.

Qu'importe que la participation à ces consultations plafonne, le plus souvent, autour des 15 % du corps électoral… « C'est une invention hongroise », défend fièrement l'eurodéputé Balázs Hidvéghi, directeur de la communication de la dernière campagne législative du parti de Viktor Orbán, le Fidesz. « C'est une façon de créer des points d'accord entre les gens. Les questions peuvent sembler simples. Mais elles créent un lien vivant entre une force politique et les électeurs dans leur ensemble, avec le peuple. » Un « lien » surtout mis au service du bras de fer de Viktor Orbán avec l'Union européenne, assorti d'une communication peu portée sur la dentelle. À l'automne 2022, une délégation du Parlement européen, venue en Hongrie pour une mission d'observation culturelle, est restée bouche bée de longues minutes au pied d'un panneau d'affichage. Y était représentée une bombe siglée Bruxelles, comme tombant sur la Hongrie, avec pour sous-titre : « Les sanctions de Bruxelles nous détruisent ! »

Davantage que dans les rues de la capitale hongroise, les retombées de ces campagnes de communication comme les raisons du soutien sans faille dont jouit le Premier ministre sont à chercher dans les profondeurs du pays. Le long du chemin de fer qui longe le Danube, à bord de trains à la propreté et à la ponctualité à faire pâlir la SNCF. À deux cents kilomètres à l'Ouest, la ville industrielle de Györ compte 130 000 âmes. Les rues y sont autant de lignes de démarcation entre deux empires architecturaux qui se tiennent en joue. Le baroque des Habsbourg hérité du XVIIe siècle et le classicisme stalinien issu de la domination soviétique. Sur la place principale, la devanture du restaurant Palffy joue les casques bleus. « Les temps sont difficiles. Nous avons dû répercuter la hausse des prix sur la carte. Dans ces conditions, il est impossible d'embaucher. Nous sommes dans une logique de survie. Économiquement, c'est la crise la plus dure depuis que j'ai ouvert », confie Peter, patron de l'établissement depuis 1984.

Parmi ses amis restaurateurs, bon nombre ont décidé de ne plus ouvrir que pour la belle saison. Quand ils n'ont pas été contraints de mettre définitivement la clé sous la porte. « C'est arrivé à des établissements bien implantés depuis vingt ou trente ans. Le Covid les a mis à genoux, la guerre et les sanctions les ont achevés », cingle-t-il. Le colosse à l'air bonhomme a gardé de l'ère communiste la prudence de ne parler politique que du bout des lèvres. Il fait pourtant comprendre qu'il a voté Viktor Orbán. Et qu'il fera de même demain, sans hésiter, malgré la situation économique : « Il fait tout ce qu'il peut pour nous aider… » Jeune responsable du secrétariat aux relations internationales du Fidesz, Ádám Samu Balázs décrypte : « Les Hongrois veulent un dirigeant fort pour faire face à la crise. La gauche a détruit l'économie. C'était le chaos et les gens s'en souviennent. »

En matière économique, le meilleur allié du Premier ministre reste, de fait, les stigmates du passage de la gauche libérale au pouvoir entre 2004 et 2010 : augmentation des impôts, endettement à la limite de la banqueroute, explosion des dépenses en énergie, aides sociales plus importantes que les salaires... « En dix ans, Viktor Orbán a assaini les comptes publics, augmenté les salaires, multiplié par trois la taille de l'économie et mis fin à l'économie grise grâce à la numérisation des comptes des entreprises par les impôts », reconnaît Gergely Fejérdy, universitaire et directeur adjoint de la fondation Otto Von Habsburg, peu soupçonnable de militantisme en faveur du parti au pouvoir. Un développement économique qui suffit à excuser, aux yeux de nombre de Hongrois, le climat de népotisme, le « capitalisme de connivence » et les nombreuses suspicions de détournements de fonds que reproche l'Union européenne à la Hongrie. Des pratiques déjà en vogue avant l'accession au pouvoir de Viktor Orbán. Mais dont ses lieutenants et proches auraient joui de manière inédite. Au point de classer la Hongrie parmi les « kleptocraties », sacré dernier pays des vingt-sept de l'Union européenne en matière de corruption par le classement de l'ONG Transparency international de janvier 2023.

Au sortir d'une immense usine automobile, au cœur de la zone industrielle de Györ, Mariá, cadre financière de 35 ans, s'inquiète moins des conséquences du clientélisme au sommet de l'État que des décisions de l'Union européenne sur son quotidien : « La vie est plus difficile. Les sanctions européennes contre la Russie ont des conséquences sur le prix de l'essence, de l'alimentation… » Nulle récrimination contre Viktor Orbán dans ses mots. Mais de la « reconnaissance ». Depuis 2010, le Premier ministre a fait de la natalité son principal cheval de bataille. Seule alternative à l'« immigration de masse » qu'appelle selon lui de ses vœux la « bureaucratie européenne ». Dès la naissance du premier enfant hongrois, l'État distribue de généreuses subventions, allant *crescendo* jusqu'au quatrième bambin. Le taux d'emprunt pour une famille souhaitant acheter une résidence principale est fixe : 0 %. Le reste du crédit à rembourser est quant à lui intégralement pris en charge par l'État à la naissance du troisième enfant.

Autant de mesures du « laboratoire » magyar dans lequel ont pioché à loisir les forces nationalistes de toute l'Europe. À l'image de Marine Le Pen, en France, qui en a repris une large part dans son programme présidentiel sur la famille. Mais qui, pour beaucoup de Hongrois, sont les causes véritables de l'« hostilité » européenne à leur égard. « Pendant la crise des migrants, Bruxelles dénonçait la détermination de la Hongrie à protéger ses frontières », s'indigne Mariá. « Maintenant, même l'Allemagne commence à dire la même chose que nous… » Sur le parking, Yanis et Thomas, assembleurs de moteur à la chaîne de 33 et 53 ans, abondent. Pas peu fiers que leur Premier ministre, à la tête d'un modeste pays aux extrémités de l'Union fasse autant parler de lui à l'étranger, jusqu'à faire « trembler » les grandes puissances de l'Ouest. « Viktor est tout seul face à l'Union européenne. La pression est immense. Le problème c'est que les autres dirigeants n'osent pas lever la voix comme il le fait. Ce qu'ils ne comprennent pas, c'est qu'il prend en compte les intérêts des Hongrois d'abord », lâche le plus vieux des mécanos. Sans craindre les nuages orageux qui s'amoncellent, chaque jour, un peu plus nombreux au-dessus du gouvernement hongrois.

Cette lutte entre l'Union européenne et le tempétueux Viktor Orbán a longtemps pris les atours d'un jeu de dupes. Le Premier ministre trouvait là un efficace moyen de parfaire sa stature d'indéfectible défenseur des intérêts de son pays aux yeux de ses électeurs. Par leurs remontrances, les institutions bruxelloises se gonflaient quant à elles d'un rôle politique inédit, ravies de s'aventurer bien au-delà de la lettre des traités constitutifs de l'Union. Quelque chose a comme dérapé peu après la crise des migrants de 2015. Le jeu a fini d'en être un. Au point que tant dans l'entourage de Viktor Orbán qu'au sein de la Commission européenne on redoute qu'« un point de non-retour ait été franchi ». D'un côté une radicalisation du discours toujours plus grande. De l'autre, l'expérimentation de sanctions pour non-respect de l'« État de droit », non pas contre la Russie, mais cette fois contre la Hongrie elle-même, affaiblissant l'économie du pays. Celles-ci n'ont pas fini de laisser des traces, y compris en termes de précédent dans les autres pays de l'Union. L'escalade a pour le moins convaincu une nouvelle génération de dirigeants nationalistes, à l'image de l'Italienne Giorgia Meloni, de s'émanciper du « modèle Orbán » pour en prendre, comme nous le verrons, le contrepied.

Impuissantes et frustrées de ne pas emporter de victoire politique dans leur pays, les oppositions hongroises ont usé ces dernières années du Parlement européen comme d'une caisse de résonance de leurs récriminations contre Viktor Orbán. Sans hésiter à largement forcer le trait sur ses forfaitures. Des attaques à l'efficacité longtemps sous-estimée par le Premier ministre hongrois. À tort. Le chef magyar a commis une double méprise. D'une part ne pas anticiper l'aide qu'apporteraient à ses contempteurs nombre de députés européens écologistes, socialistes ou libéraux d'autres pays membres par pure opposition politique à sa politique conservatrice. Et d'autre part, les conséquences économiques et politiques colossales auxquelles pourrait conduire son isolement sur la scène européenne et internationale. C'est ainsi presque fièrement, qu'en 2021, Viktor Orbán a commandé à son parti, le Fidesz, de claquer la porte du PPE, le premier groupe politique du Parlement européen. Un divorce rendu inéluctable par ses rodomontades contre « Bruxelles », dont la lettre de rupture trône encore, encadrée, dans le bureau d'un protégé du chef de l'État à l'Assemblée nationale, Ádám Samu Balázs.

Exilés depuis lors, sans pouvoir ni allié, sur le banc des non-inscrits, les eurodéputés du Fidesz se sont progressivement découverts privés de tout moyen de défense au sein du Parlement européen. Que ce soit lorsqu'une majorité d'élus de gauche et du centre ont pressé la Commission européenne d'adopter des trains de sanctions inédits contre la Hongrie ; quand cette dernière a décidé de suspendre vingt-et-une universités hongroises du programme Erasmus, soit la quasi-totalité des établissements d'enseignement supérieur du pays – la Commission leur reprochant leur nouveau mode de gestion, via des fondations à la tête desquelles ont été installés des responsables politiques proches du pouvoir –, ou encore plus récemment, lorsqu'en juin 2023 les mêmes eurodéputés ont voté à la majorité une résolution exigeant du Conseil européen d'empêcher le pays d'exercer la présidence tournante de l'Union européenne au printemps 2024, comme cela est pourtant sanctuarisé par les traités. La plus grave des sanctions, tant par son ampleur que par son caractère inédit, reste la décision inspirée par le Parlement, prise par la Commission et entérinée par le Conseil européen au mois de décembre 2022 de geler au titre de l'article 7 du Traité sur l'Union européenne le versement au pays de fonds européens. Soit les 22 milliards d'euros du budget septennal de l'UE (2021-2027) réservés à la Hongrie, ainsi que 5,8 milliards d'euros du plan de relance européen post-Covid. Plus de 12 milliards d'euros ont manqué dans les caisses hongroises en 2022. L'équivalent de presque 10 % du PIB.

Dans une série de rapports[1] défendus au Parlement européen, l'eurodéputée française Europe-Écologie-Les Verts, Gwendoline Delbos-Corfield, s'est fondée sur divers éléments de l'opposition hongroise pour dénoncer

1. G. Delbos-Corfield, *Rapport intérimaire sur la proposition de décision du Conseil constatant, conformément à l'article 7, paragraphe 1, du traité sur l'Union européenne, l'existence d'un risque clair de violation grave, par la Hongrie, des valeurs sur lesquelles l'Union est fondée*, Strasbourg, Parlement européen, 2022.

les atteintes « manifestes » du pays à « l'État de droit ». Un concept juridique interprété de manière particulièrement extensive par la Cour de justice de l'Union européenne au regard de sa définition initiale, tel que théorisé par le grand penseur autrichien Hans Kelsen. Au point d'y englober non plus uniquement le respect de la hiérarchie des normes ou la séparation des pouvoirs mais également, entre autres choses, la non-discrimination des minorités. La parlementaire, inconnue de la scène politique française, a ainsi pointé dans son rapport comme manquement une loi hongroise interdisant l'accès des écoles primaires aux associations pro-LGBT souhaitant y dispenser des cours d'« éducation sexuelle », parce que jugée « homophobe ». Y figure également la prétendue absence de médias d'opposition et de liberté de la presse. Outre les multiples sources d'informations disponibles en ligne, les deux principaux quotidiens du pays sont paritaires. L'un est pro-gouvernement, l'autre résolument dans l'opposition. Si les télévisions publiques sont toutes entières acquises au gouvernement, elles représentent 11 % du paysage audiovisuel. Loin, en termes d'audiences, de la première chaîne de télévision du pays, RTL, en rien inféodée à Viktor Orbán. Quant aux cinq hebdomadaires que compte la Hongrie, quatre se réclament de l'opposition. Dont, *Hvg*, le premier d'entre eux.

Le rapport de l'écologiste française n'en a pas moins conduit au vote, par le Parlement européen à une très large majorité, d'une résolution contre la Hongrie en septembre 2021, la qualifiant d'« autocratie électorale ». Cette expression solennelle de la seule instance élue de l'Union européenne ne sera pas ignorée par la Commission européenne. Celle-ci y lira une invitation à davantage de fermeté à l'égard du pays. Jusqu'à ouvrir directement la voie à l'ultime procédure de sanction prévue à l'article 7 du Traité sur l'Union européenne, totalement inédite, de gel du versement des fonds européens pourtant vitaux pour la Hongrie. « Pris à la gorge, le gouvernement a fini par changer de tactique et a coopéré à partir de l'été 2022 sans pour autant renoncer publiquement à son hostilité contre les institutions européennes. Il nous a clairement dit : “Nous voulons avoir accès aux fonds, quoi que vous demandiez nous sommes d'accord”, relate un haut membre de la Commission européenne sous le sceau de l'anonymat. Le problème est que cette procédure étant maintenant enclenchée, un certain nombre de forces politiques continuent de vouloir lui infliger une punition maximale dans l'espoir, qu'en fin de compte, cela fasse tomber le gouvernement. »

Privé de cette manne financière, le pays recourt depuis lors à l'endettement pour financer son économie en pleine période de remontée des taux d'intérêt. S'il devrait recevoir 10 milliards d'euros par tranches d'ici 2030, finalement débloqués à la suite de l'adoption de plusieurs réformes dans le pays, le gouvernement n'en est pas moins contraint de revenir sur nombre de promesses, comme la revalorisation des salaires des enseignants, provoquant d'importantes manifestations à Budapest. Le PIB du pays a enregistré quant à lui un net recul en 2023, après des années de croissance. « L'isolement d'Orbán a fini par nuire à tous ceux qui pensaient pouvoir se présenter comme une alternative en Europe », conclut Hanna Corsini[1], docteur en relations internationales et enseignante à Sciences Po Paris. De quoi sonner le glas de la « méthode Orbán » aux yeux de nombreuses forces nationalistes européennes, à commencer par celle de l'italienne Giorgia Meloni. Le pot de terre hongrois s'est finalement brisé contre le pot de fer européen.

1. H. Corsini, *L'impact des populistes au pouvoir sur la politique étrangère nationale : Une analyse des conséquences de la montée du populisme en tant que style politique sur la politique étrangère d'un gouvernement*, Cambridge, Université de Cambridge, 2023.

9.

Serre la main que tu ne peux pas couper

Le modèle Meloni

Un silence saisit le très officiel aréopage réuni à l'ombre de la Villa Borghese, à Rome. Du mur d'hommes en costume sombre et lunettes noires, se détache soudain une fine silhouette blonde, passant en revue d'un pas rapide et décidé tout ce que la cité éternelle compte de responsables politiques, médiatiques ou culturels. Les membres de la Police nationale, dont on fête ce jour d'avril 2023 le 171e anniversaire, ne sont pas seuls au garde-à-vous. Du haut de son mètre soixante-deux, « la Meloni » comme elle est surnommée, continue six mois après son accession au pouvoir de tenir en respect l'intégralité de la classe politique italienne. Sur la tribune surplombant la Terrazza del Pincio, tous rivalisent de discipline et de révérence. De l'allié autrefois turbulent de la Lega, Matteo Salvini, à l'ancien chef de l'État et leader du Mouvement 5 étoiles, Giuseppe Conte.

Tous sont contraints de reconnaître en Giorgia Meloni, après l'avoir longtemps sous-estimée, celle qui a réussi là où ils ont tous successivement échoué depuis plus de 10 ans : constituer un gouvernement stable tirant sa seule légitimité des urnes et non de « *combinazione* » entre formations politiques situées aux antipodes les unes des autres. L'horizon est clair, sans nuage. Le soleil frappe la nuque des policiers en armes, jusqu'à provoquer quelques malaises dans leurs rangs. Les yeux de la chef du gouvernement se perdent pourtant, en contrebas, sur la piazza del Popolo. Celle de son dernier meeting de campagne tenu six mois plus tôt et d'où résonnent encore nombre de ses promesses électorales. Autant de menaçants cumulus en devenir si, aux yeux de ses électeurs, celles-ci n'étaient pas tenues. Les voies choisies pour y parvenir, depuis lors, ont pu en étonner plus d'un.

Les premiers mois au pouvoir de la chef de file du mouvement national-conservateur Fratelli d'Italia ont de quoi désarçonner. Y compris dans ses rangs. Après une vigoureuse campagne promettant la rupture avec son prédécesseur, l'ancien président de la Banque centrale européenne Mario Draghi, la nouvelle présidente du Conseil n'en finit pas de donner la curieuse impression de s'inscrire soigneusement dans ses pas. Les critiques contre l'Union européenne et les précédents gouvernements italiens « soumis » à Bruxelles ont totalement disparu de son vocable. En lieu et place, y ont fleuri les appels au sérieux budgétaire comme gages de respect donnés aux institutions supranationales. Institutions au sein desquelles elle coopère désormais avec zèle. « Si je dois évaluer les six premiers mois de Giorgia Meloni au pouvoir sur la base d'indicateurs comme la politique étrangère ou le budget, il est difficile de nier que le nouveau gouvernement avance dans la continuité du nôtre », confie sans ambages un ancien conseiller de Mario Draghi.

Plus spectaculaire encore aura été l'abandon par Giorgia Meloni de ses deux propositions phares contre l'immigration illégale, à peine foulé le seuil du palais Chigi : l'idée de constituer un « blocus naval » en Méditerranée censé stopper net les embarcations de migrants, ou celle de créer des zones tampons au nord du continent africain. « L'action italienne ne suffit pas. Il faut absolument s'engager et résoudre cette question au niveau européen. Nous avons d'ores et déjà mis à l'ordre du jour du Conseil européen, et à plusieurs reprises, la question migratoire », nous livre, comme pour se justifier, le vice-président du Conseil et ministre des Affaires étrangères, Antonio Tajani. Hier déterminé à opposer à l'Union européenne sa doctrine et ses mesures radicales contre l'immigration, le gouvernement Meloni se veut aujourd'hui adepte d'une autre stratégie : convaincre ses partenaires de faire évoluer les leurs.

Ce qui pourrait apparaître comme autant d'étonnants revirements trouve pour partie sa source dans l'échec du modèle hongrois. Alliée de longue date de Viktor Orbán, Giorgia Meloni a analysé avec attention où la stratégie de confrontation systématique avec l'Union européenne a mené le Magyar. Avant de décider, en conséquence, d'en prendre le parfait contrepied. Alors que l'Italie traverse la situation économique la plus difficile de son histoire depuis la Seconde Guerre mondiale, que sa dette publique s'est envolée ces dernières années jusqu'à

144 % du produit intérieur brut en 2022 – contre 84 % en moyenne dans le reste de l'Union européenne – Giorgia Meloni a tout simplement découvert ne pas avoir les moyens du bras de fer qu'elle promettait à longueur d'estrade, il y a quelques mois encore. Les nouveaux mécanismes de conditionnalité qui président désormais au versement des fonds européens comme l'interprétation extrêmement lâche du concept d'« État droit » retenu par la Cour de justice de l'Union, ont changé la donne. Giorgia Meloni sait que son gouvernement n'a aucune chance de réussir contre l'Union européenne. Moins encore sans ses précieuses dotations financières.

« Gouverner, c'est comme un brutal réveil qui vous tire du lit après un long sommeil. On ne peut plus faire fi de la réalité », glisse un ancien bras droit de Mario Draghi. « S'il veut garder des marges de manœuvre, l'actuel gouvernement ne peut pas rompre l'équilibre budgétaire. Son seul levier est de récupérer les fonds du Plan de relance européen et réussir à les dépenser, ce qui est de loin le plus difficile. » D'une valeur totale de 190 milliards d'euros, l'enveloppe octroyée – sous condition donc – par l'Union européenne à l'Italie pour faire face aux suites de la pandémie de Covid-19 est de loin la plus importante accordée à un État membre. Elle constitue à la fois la planche de salut du gouvernement Meloni et la principale entrave à sa détermination. « Cette situation place, de fait, l'Italie en souveraineté limitée », constate autant que déplore l'eurodéputé Fratelli d'Italia, Vincenzo Sofo.

Reste, pour Meloni, une mince ligne de crête à emprunter si elle entend tout de même imprimer sa marque et donner l'impression à ses électeurs que ses promesses seront tenues : multiplier les gages auprès de ses homologues européens afin de se ménager un maximum de marges de manœuvre pour dérouler son programme conservateur. Un *modus operandi* qualifié avec justesse par le fondateur de la revue *Le Grand continent*, Gilles Gressani, de « techno-souverainisme[1] ». Quand le politologue Giovanni Orsina préfère y voir le syndrome d'une « romanisation des barbares[2] », c'est-à-dire la normalisation des vainqueurs dans les urnes, contraints de trouver un compromis entre leur « désir de réincarnation et les contraintes de la réalité ». Un exercice dans lequel la Première ministre italienne va se révéler particulièrement habile. Au point de servir bientôt de modèle pour nombre de jeunes formations nationalistes aux portes du pouvoir en Europe.

Le premier acte d'importance du gouvernement Meloni, la présentation du budget 2023, sera l'acte fondateur de ce compromis nouveau, destiné à rassurer tant les élites italiennes que la technostructure européenne. S'il reprend quelques-unes des mesures phares de la coalition victorieuse de droite en campagne – comme la restriction du revenu universel – les grandes lignes comme la philosophie globale de la loi de finances sont indubitablement empruntées au budget du gouvernement précédent. Celui contre lequel Giorgia Meloni a pourtant fait campagne. N'y figure ainsi nulle remise en

1. G. GRESSANI, *Il tecno-sovranismo di Meloni*, Rome, *La Repubblica*, 2022.
2. G. ORSINA, *La democrazia del narcisismo*, Marsilio, Venise 2018.

cause de l'« agenda Draghi », mais au contraire le prolongement de sa politique de baisse de la pression fiscale pour les ménages et les entreprises, de lutte contre l'inflation comme, aussi et surtout, d'importante maîtrise des finances publiques. Avec l'ambitieux objectif de réduction des déficits à 4,5 % du produit intérieur brut en 2023, contre les 8 % de 2022. Passé quelques marginales observations, la Commission européenne a ainsi pu valider dans sa globalité la première copie financière du gouvernement Meloni. Une homologation qui n'est pas allée sans faire lever quelques sourcils chez ceux qui attendaient là un premier bras de fer entre l'Union européenne et la nouvelle cheffe de file nationaliste.

Questionné sur cette surprise qui a pu saisir la plupart des observateurs italiens et européens, Giovanbattista Fazzolari oppose un large sourire entendu. Le quinquagénaire est l'un des plus vieux compagnons de route de Giorgia Meloni. Il a été de tous ses combats politiques, au sein d'Alleanza Nazionale puis de Fratelli d'Italia. Formations où il était plus particulièrement en charge de la conception du programme politique. Dans son vaste bureau du palais Chigi à Rome, aux fenêtres donnant sur la colonne de Marc-Aurèle, le nouveau secrétaire d'État à la présidence du Conseil assume sa conversion à l'orthodoxie budgétaire : « La force du leadership de Giorgia Meloni est de ne pas céder aux exigences les plus populistes. Notre gouvernement est aujourd'hui critiqué parce que nous n'avons pas renouvelé la remise sur le prix du carburant. Cette mesure coûtait 10 milliards d'euros par an et avantageait principalement les plus riches. Même si c'est impopulaire, nous l'avons supprimée pour nous concentrer sur ce qui est utile et non sur ce qui garantit un consensus électoral. » Une mesure en forme de missive pour Bruxelles, qui se veut la négation de la politique populiste hongroise. Plus d'un an durant, de l'automne 2021 à fin 2022, Viktor Orbán a maintenu un plafond sur les prix à la pompe qu'importent les conséquences sur ses finances publiques.

Il n'y a pas qu'en matière budgétaire que Giorgia Meloni s'est glissée dans le costume de Mario Draghi, dans l'espoir de mieux emprunter de son crédit auprès des instances internationales. La nouvelle présidente du Conseil a ainsi repris à son compte l'une des plus grandes ambitions de son prédécesseur au pouvoir : faire de l'Italie un « hub » de distribution de l'énergie entre l'Afrique du Nord et l'Union européenne. En clair, le plan Draghi, rebaptisé « plan Mattei » – du nom du fondateur de la société italienne d'hydrocarbure Eni – vise à nouer entre l'Italie et les pays du pourtour méditerranéen, un large programme de coopération prévoyant des contrats d'approvisionnement préférentiels d'énergie pour que l'Italie redistribue ensuite l'électricité et les quelque 60 milliards de mètres cubes de gaz récoltés à ses partenaires de l'Union à horizon cinq ans. Un projet ovationné en Europe à l'heure où le continent tente de mettre fin à sa dépendance énergétique vis-à-vis de Moscou.

C'est sur cet autre front, justement, de la guerre entre la Russie et l'Ukraine que la nouvelle Première ministre italienne va définitivement gagner sa place dans le concert européen et parachever son entreprise de « normalisation ». Moins de quatre mois après sa prise de fonction, Giorgia Meloni atterrit sur le tarmac de Kiev. En ce mois de février 2023, la nouvelle Première ministre a voulu rencontrer en personne son homologue ukrainien, Volodymyr Zelensky, pour l'assurer du soutien total de l'Italie. Un déplacement qui n'est en rien anodin à l'heure où l'opinion publique de la péninsule est de plus en plus partagée sur le sujet et où ses partenaires de la coalition de droite au pouvoir, Silvio Berlusconi et Matteo Salvini, rivalisent en sorties ambiguës sur Vladimir Poutine. Après s'être engagée à « continuer d'être un partenaire fiable de l'OTAN dans le soutien à l'Ukraine » lors de son discours inaugural devant le Parlement, Giorgia Meloni décide d'intensifier les livraisons de matériel et d'armes défensives à Kiev. Arguant à ses indisciplinés alliés qu'« une invasion de l'Ukraine rapproche la guerre de chez nous. Celui qui aide l'Ukraine travaille pour la paix. » Une position, là encore, aux antipodes de celle de Viktor Orbán ou de la plupart des nationaux-populistes européens à l'image de Marine Le Pen, en France.

Redoutée avant sa victoire comme le futur « enfant terrible » de l'Europe, soupçonnée par une partie de la presse internationale de vouloir réconcilier l'Italie avec son passé fasciste en raison de sa jeunesse passée dans les mouvements post-mussoliniens, Giorgia Meloni aura finalement réussi en un temps record un impressionnant tour de force. Celui de se « normaliser » et s'institutionnaliser mieux qu'aucun leader nationaliste n'était parvenu à le faire avant elle. Au point de se voir désormais acceptée au sein du concert européen, pour ne pas dire courtisée. Les chefs d'États de l'Union rivalisent en propos laudateurs à son endroit. Quand les différents commissaires européens, de Thierry Breton à Paolo Gentiloni, n'hésitent plus à poster sur les réseaux sociaux des selfies d'eux, tout sourire, à ses côtés.

La présidente de la Commission, Ursula von der Leyen, a elle-même pu lui démontrer toute sa considération. C'est à son bras que la tête de l'Union européenne est allée à Tunis en juillet, signer avec le président Kaïs Saïed un nouveau partenariat stratégique sur l'immigration entre la Tunisie et l'Europe. Un projet préparé de longue date et quasiment intégralement rédigé par Rome. Même le président français Emmanuel Macron, chantre de la lutte « contre la lèpre populiste », un temps persuadé de pouvoir prendre la tête d'une fronde européenne contre la nationaliste en lui imposant une série d'humiliations, a été contraint de revoir sa stratégie. Et de rapidement normaliser leurs relations avant de risquer d'apparaître isolé en lieu et place de celle qu'il espérait marginaliser en Europe. Six mois après son arrivée au pouvoir, Giorgia Meloni voit ses efforts d'intégration salués jusque sur les marchés financiers. Sur la période, le *spread*, l'écart entre les obligations italiennes et allemandes, s'est réduit de manière inédite quand la Bourse italienne a quant à elle enregistré une hausse record de 23 %.

Des succès incontestables. Mais aussi fragiles que fugaces, s'ils ne sont accompagnés des réformes pour lesquelles les électeurs italiens sont allés aux urnes. Ces derniers ayant la fâcheuse tendance à rapidement changer d'avis sur celui ou celle qu'ils ont porté au pouvoir. Depuis la Seconde Guerre mondiale, la durée de vie moyenne d'un gouvernement en Italie est de 14 mois. « Notre programme est de faire en sorte que l'Italie retrouve son rang. Celui d'un pays fondateur de l'Union européenne, de l'OTAN, membre du G7, et l'une des principales puissances industrielles de la planète », balaye le ministre Giovanbattista Fazzolari. « Cela s'étire nécessairement sur le long terme. » Comme pour ne pas attirer l'attention sur lui, le bras droit de Meloni tait volontairement l'agenda sociétal qui figurait en bonne place dans le programme de la coalition, et que la Première ministre a pourtant bel et bien commencé à dérouler.

Dès ses premiers mois de mandat, profitant de la bienveillance de Bruxelles à son égard suite à son positionnement économique, Giorgia Meloni a pu lancer comme elle s'y était engagée un large « plan natalité » pour faire face à la terrible situation démographique de son pays, dont le solde négatif depuis maintenant trente ans vide la péninsule. Au point de la contraindre, au grand dam d'une partie de ses électeurs, d'octroyer 452 000 titres de séjour d'ici 2025 à des étrangers pour faire face aux besoins économiques du pays. Si la quadragénaire s'est toujours défendue de vouloir revenir sur le droit à l'avortement, son plan comprend nombre d'aides économiques à destination des mères présentées comme autant d'alternatives à l'IVG. En ce qui concerne les couples homosexuels, le gouvernement a par ailleurs signé une ordonnance à destination des mairies au début de l'année 2023 les enjoignant à ne pas inscrire à l'état civil la filiation d'enfants issus de procréation médicalement assistée (PMA) ou de gestation pour autrui (GPA) réalisées à l'étranger. Une loi a par ailleurs été adoptée à l'initiative de Fratelli d'Italia, en juillet dernier à l'Assemblée, faisant de la GPA un « délit universel », permettant de condamner jusqu'à 3 ans de prison et un million d'euros d'amende les couples italiens qui y ont recours, même à l'étranger. Autant de mesures susceptibles d'une procédure en manquement à l'« État droit » devant la Cour de justice de l'Union européenne selon la jurisprudence Orbán. Mais dont Giorgia Meloni semble pour l'instant protégée grâce au nombre de gages donnés et du poids de son pays dans l'Union…

« Il existe une espèce de dictature du Parlement européen qui tente d'imposer de nouvelles valeurs à des nations qui ne les tolèrent pas sous le vocable d'"État de droit". C'est une forme d'expérimentation contre la tradition qui mine le fondement même de la civilisation européenne », note l'ancien président du Sénat italien et ami du défunt pape Benoît XVI Marcello Pera.

Mais Meloni reste ferme sur les valeurs qu'elle s'est engagée à servir devant les électeurs : « Nous sommes un parti conservateur qui protège la tradition, le mariage, la famille, les enfants… Toutes ces questions qui ont trait à la survie de notre civilisation occidentale chrétienne. Pour le reste, elle construit un agenda que l'on ne pourra évaluer que sur une période de temps plus longue que quelques mois… » Le sénateur Fratelli d'Italia fait preuve d'une patience dont il n'est pas dit que s'arment tous les Italiens. Si une part de l'électorat a pu glisser le nom de Giorgia Meloni dans l'urne pour défendre un certain conservatisme sociétal, cela reste marginal au regard de l'écrasante majorité qui l'a portée au pouvoir d'abord et avant tout pour lutter contre l'immigration illégale.

Or c'est bien là que le bât blesse. Là où réside peut-être la faille du modèle Meloni. Avec son pari de jouer la coopération européenne plutôt que la confrontation sur le dossier miné de l'immigration, le gouvernement s'est privé de mesures à la concrétisation et à l'efficacité somme toute discutables, mais symboliques pour ses électeurs. Seuls des résultats concrets, à court ou moyen terme, sont susceptibles de justifier à leurs yeux l'étonnant virage négocié par la Première ministre. Une perspective que nombre de responsables politiques, jusqu'au sein du gouvernement, craignent de ne pas voir à l'horizon. « Il existe bien un risque électoral sur la question de l'immigration, d'autant qu'avec la situation tunisienne les chiffres d'arrivées risquent d'être très importants », prophétise le ministre Fazzolari quelques mois avant l'importante crise de Lampedusa de novembre 2023. « Mais sur ce thème, comme sur d'autres, nous cherchons des solutions pérennes et sommes prêts à affronter une impopularité. Il faut instaurer un dialogue pour que l'Union européenne et les pays d'Afrique du Nord aient une action conjointe afin de stopper le départ des embarcations. Cela ne s'obtient pas en six mois mais en plusieurs années… »

Depuis ses bureaux dans les locaux historiques de Fratelli d'Italia, l'ancien maire de Rome, Gianni Alemanno ne partage pas le même optimisme et peine à masquer sa déception : « Il existe deux manières de défendre notre intérêt national, jouer les premiers de la classe de l'Union européenne ou, à mon sens la plus efficace, taper du poing sur la table et sortir de cette logique d'asservissement de l'Italie par rapport à Bruxelles et l'OTAN. L'Union européenne nous interdit de faire ce blocus naval mais ne fait rien pour nous aider à répartir ailleurs les migrants qui arrivent chez nous. Giorgia Meloni s'était engagée à stopper tout de suite les flux, or les arrivées ont triplé par rapport aux années précédentes. L'immigration peut être un véritable piège. Nous verrons lors des européennes. S'il n'y a pas d'alternative politique, les électeurs se réfugieront dans l'abstention. S'il y en a une, elle sera pour eux un nouveau débouché électoral. » Fort heureusement pour Giorgia Meloni, le paysage politique italien, particulièrement éclaté, lui offre un avantage de taille : pour l'heure, elle ne souffre ni de véritable rival dans son camp, ni d'adversaire de poids dans l'opposition.

De quoi relativiser les sombres prédictions de l'ancien maire de Rome, dont les signes annonciateurs restent pour le moins timides plus d'un an après l'accession au pouvoir de « la Meloni ». En octobre 2023, La cheffe du gouvernement pouvait tabler sur 42 % d'opinions favorables[1]. Une progression significative par rapport aux 26 % d'Italiens inscrits sur les listes électorales lui ayant accordé leur confiance dans les urnes en septembre 2022. « Ses décisions jusqu'à présent conviennent tant à ses électeurs qu'à ceux qui étaient favorables à Mario Draghi », note le président

1. Chiffres Ipsos Italie.

d'Ipsos Italia Nando Pagnoncelli. « Elles apparaissent comme allant dans l'intérêt du pays plutôt que dans celui d'un camp politique en particulier. Je n'irais pas jusqu'à dire qu'il y a de l'enthousiasme, mais elle a réussi à rassurer. » Le sondeur ne nie pas, cependant, les risques d'un retournement de l'opinion sur la question de l'immigration. « On voit, en effet, une érosion progressive du soutien à Giorgia Meloni semaine après semaine sur certains segments socio-démographiques. Le plus frappant est le décrochage des travailleurs indépendants, c'est-à-dire les artisans, les commerçants… Un électorat qui venait plutôt de la Lega. » Soit du parti de Matteo Salvini, pour qui la lutte contre l'immigration est la mère des batailles…

Pour pallier le risque d'un retournement à court terme de l'électorat sur cette question sensible, le gouvernement a pu multiplier les mesures coercitives à l'encontre des ONG d'aide aux migrants en Méditerranée, jusqu'à proclamer par exemple l'« état d'urgence migratoire » le 18 avril 2022. Peu importe que ces annonces relèvent davantage de la communication que d'une véritable action politique. Giorgia Meloni a un plan aussi redoutable qu'audacieux en tête, dont les chances de succès sont directement indexées aux scores de sa formation politique et à ceux de ses alliés au sein du parti européen qu'elle dirige, les Conservateurs et réformistes européens (ECR), lors des élections européennes du 6 au 9 juin 2024.

À la tête d'une délégation importante d'eurodéputés nationaux-conservateurs en pleine dynamique et en position de force au Parlement européen, Giorgia

Meloni pense qu'elle pourra y durcir sensiblement la politique migratoire ainsi que celle du Conseil européen. Afin d'offrir ainsi à ses électeurs des résultats en la matière sans précédent. « Elle pourra dire aux Italiens : j'ai réussi à changer l'Europe de l'intérieur ! », table l'éminent politologue de l'université Luiss de Rome, Giovanni Orsina. De quoi gagner la bataille tant sur le front européen que sur celui de l'opinion italienne et de se voir sacrée pour de longues années, cheffe de file incontestée des nationalistes européens. Reste à savoir si les électeurs italiens lui conserveront leur confiance jusque-là.

10.
La guerre des nationalistes aura bien lieu

Une passerelle, un premier ascenseur, un escalier, une autre passerelle avant un second ascenseur et un escalator… Les eurodéputés du Rassemblement national fraîchement élus se perdent dans le dédale du Parlement européen de Strasbourg, dans ce qui leur semble être un jeu de piste. « C'est dingue ! Ce lieu est exactement à l'image de l'Union européenne », plaisante Thierry Mariani. Les élus de Marine Le Pen ne sont pas au bout de leur surprise en ce mois de juillet 2019. Ils vont très vite découvrir que l'entreprise de « dédiabolisation » et de normalisation entamée par leur parti, si elle prospère au niveau national, est loin d'avoir percé les épais murs du gigantesque hémicycle européen. Ce qu'ils avaient imaginé comme leur premier coup d'éclat face à la « technocratie bruxelloise », vire à un profond moment de malaise… Alors que s'ouvre la séance inaugurale de la nouvelle législature, l'hymne à la joie résonne dans les travées grises. Les élus Rassemblement national, comme une partie de leurs alliés européens du groupe Identité et démocratie (ID), restent ostensiblement assis. Les plus de 700 autres eurodéputés, eux, se lèvent, leur jetant regards méprisants et quolibets. À commencer par ceux, voisins, de l'autre groupe nationaliste. Celui des Conservateurs et réformistes européens (ECR). Pourtant alliés historiques du RN, les élus italiens de la Lega céderont à la pression et finiront par se lever… Cinq ans plus tard, rien n'a changé. Ni le mépris des uns. Ni le complexe d'infériorité des autres.

Jetés dans le même sac en toile de jute par la gauche, les partis désignés comme étant d'« extrême droite » sont traversés par d'importantes fractures. Des différends idéologiques et tactiques profonds les séparent, comme les chapitres précédents ont tenté de l'illustrer. La grande famille nationaliste a depuis des décennies déjà, divorcé. Jusqu'à former deux familles recomposées bien distinctes. Imparfaitement répartis dans ces deux groupes parlementaires européens que sont les nationaux-conservateurs du groupe ECR et les nationaux-populistes du groupe ID. L'inspiration libérale des premiers s'oppose à l'étatisme des seconds. L'angoisse sociétale des uns n'est, pour les autres, qu'accessoire par rapport à leur angoisse sociale. Des fossés devenus tranchées au lendemain de l'invasion Russe de l'Ukraine. L'atlantisme de Fratelli d'Italia et la crainte existentielle polonaise du PiS envers la Russie de Vladimir Poutine, ont fait de leur groupe commun, ECR, l'un des plus francs soutiens du président Volodymyr Zelensky et de l'adhésion de son pays à l'Union européenne. Faisant face aux élus français du RN, aux Italiens de la Lega comme aux Allemands de l'AfD, regroupés au sein de ID, charriant de nombreuses années de russophilie voire d'échanges avec

Russie unie, le parti de Vladimir Poutine. Plus que toute autre, il est une rivalité illustrant avec éloquence cet irréconciliable nationalisme : celle opposant Marine Le Pen et Giorgia Meloni.

Tout avait pourtant si bien commencé. Dans les coulisses de, *Dimartedi*, l'émission de débat phare de la chaîne de télévision italienne La7, les deux femmes immortalisent par un selfie, tout sourire, leur interview croisée de 2015. Giorgia Meloni est alors à la tête d'une toute nouvelle formation politique, Fratelli d'Italia qui n'a rassemblé que 3,66 % des suffrages aux dernières européennes. Élections où le parti de Marine Le Pen est arrivé en tête en France avec près de 25 % des voix, en plus d'avoir ces dernières années fait son retour à l'Assemblée nationale, son entrée au Sénat et conquis plusieurs villes, dont Fréjus dans le Var et Hénin-Beaumont dans le Pas-de-Calais. L'Italienne soutiendra la Française lors de l'élection présidentielle de 2017. S'il leur arrive d'échanger épisodiquement, il n'en sera bientôt plus question. Au gré de la progression électorale de Fratelli d'Italia, les liens se distendent sérieusement entre les deux partis nationalistes transalpins. Giorgia Meloni, en concurrence dans son pays avec le patron de la Lega, Matteo Salvini, prend acte de l'étroite association qui unit Marine Le Pen et son rival. Après les élections européennes de 2019, c'est au groupe concurrent du leur, celui des Conservateurs et réformistes européens, qu'elle choisit de s'affilier au Parlement européen. Nommée présidente du parti européen ECR en 2020, elle s'opposera systématiquement à toute fusion avec le groupe Identité et démocratie de Matteo

Salvini et Marine Le Pen pour former un grand groupe souverainiste. Outre leur opposition commune à l'immigration, l'Italienne réalise qu'elle partage de moins en moins de points communs avec la nationaliste française.

Atlantiste, libérale en économie et foncièrement conservatrice sur les sujets de société, Giorgia Meloni ne fait désormais plus mystère, en privé, de ses divergences avec la tête de proue du Rassemblement national. « Marine Le Pen est démago. Elle est de gauche sur le plan économique et progressiste sur le plan sociétal », cingle-t-elle fin 2021 devant plusieurs responsables italiens à un eurodéputé français, de passage à Rome à l'aube de la présidentielle française. Quelques mois plus tard, durant l'entre-deux-tours, elle se refusera, cette fois, à prendre parti entre Emmanuel Macron et Marine Le Pen. Interrogée par le quotidien italien *La Repubblica* le 11 avril 2022, la future Première ministre préfère éluder : « Je dirige la famille des conservateurs européens. Il n'y a pas de candidat qui représente le parti que je dirige au second tour en France. » Un affront que l'on peine à digérer, aujourd'hui encore, au sein du Rassemblement national. Après s'être un temps félicité de l'accession de Giorgia Meloni au Palais Chigi, signe du « grand retour des nations et des grands mouvements populistes » voulait croire Marine Le Pen, l'entourage de la cheffe de file du RN n'a retenu aucune de ses flèches les mois suivants pour cribler le bilan de l'Italienne au pouvoir. « Meloni, c'est du nationalisme de sous-préfecture. Inféodée aux États-Unis, au patronat, à l'OTAN, désormais aux ONG, elle est peut-être conservatrice, mais en quoi est-elle nationaliste ? » pilonne l'eurodéputé et conseiller spécial de Marine Le Pen, Philippe Olivier. Avant de conclure, définitif : « Ces gens-là ne sont pas de notre camp… » Peu ou prou la même justification donnée par Giorgia Meloni pour expliquer son refus de soutenir Marine Le Pen face à Emmanuel Macron lors du second tour de la présidentielle…

Toutes deux en dynamique, les familles nationale-populiste et nationale-conservatrice savent que leur désunion est, pour l'heure, le principal obstacle à l'expression de leur pleine et entière influence et poids dans l'hémicycle européen, sur les sujets qu'ils partagent comme la lutte contre l'immigration, contre le fédéralisme européen et la défense des différentes identités nationales. Selon les différentes projections d'Europe elects, agrégeant tous les sondages dans les différents États européens, le groupe ID pourrait atteindre jusqu'à 90 eurodéputés, quand ECR devrait tutoyer les 100. Rassemblés, ils provoqueraient un séisme sans précédent, en détrônant le Parti populaire européen (PPE) pour devenir le premier groupe au sein de l'hémicycle de Strasbourg. Un scénario catastrophe pour le reste de l'échiquier politique qui, fort heureusement pour lui, n'a strictement aucune chance d'advenir.

En tant que forces souverainistes, les nationalistes avaient pourtant un argument des plus pratique pour bâtir un pont entre elles. Qu'importent leurs différences de vision économique ou sociétale. Puisque le cœur de leur combat européen est justement de recouvrir le droit pour chaque pays d'être maître chez lui. Questionnée sur l'opposition à l'avortement de son allié portugais,

Chega, en marge d'un déplacement dans le pays fin 2023, Marine Le Pen lâchait en ce sens : « Nous ne cherchons pas des clones, mais des alliés. Au sein d'un groupe, nous sommes comme dans une copropriété. Nous nous donnons un règlement intérieur, qui constitue les grandes idées politiques qui sont les nôtres : la souveraineté des nations, la liberté des peuples à avoir des frontières et à les faire respecter. Mais, après, chacun a son appartement et le décore comme il veut... Moi, je ne vais pas décider de la politique portugaise... »

Malgré cette souplesse, pour ne pas dire cette largesse, dans les prérequis réclamés aux différents partis politiques pour nouer de potentielles alliances, toutes les tentatives initiées jusque-là pour constituer un groupe unique rassemblant l'ensemble des forces nationalistes ont échoué. Les ambitions de constituer un « supergroupe », pourtant portées durant toute la campagne des européennes par nombre de candidats, tournent court quelques semaines seulement après le scrutin. Rassemblés mi-juin dans une salle voisine de l'hémicycle européen, les élus RN actent la formation de leur groupe, Identité et démocratie, constitué de 73 eurodéputés de neuf nationalités différentes. Malgré le tour d'Europe entamé par Marine Le Pen les mois précédents, son rêve de « constituer une majorité, ou a minima une minorité de blocage » au sein du Parlement européen s'évanouit. Son groupe parlementaire n'est que le cinquième de l'hémicycle. Les craintes des Polonais du PiS, quant à la « russophilie » du RN auront eu, une fois encore, raison de toute velléité d'une fusion ou d'un rapprochement avec ECR. En dépit de multiples demandes, le président du Parti Droit et justice (PiS) polonais, Jaroslaw Kaczynski, refuse encore et toujours de rencontrer Marine Le Pen.

Le spectre d'une large alliance nationaliste va refaire brièvement surface deux ans plus tard, au mois de décembre 2021. Quinze chefs de partis, parmi les principales forces des groupes ID et ECR confondus – du PiS polonais au Vox espagnol en passant par le FPÖ autrichien ou le RN français – signent et publient une étrange déclaration commune. Elle est à l'initiative du Premier ministre hongrois, Viktor Orbán, dont le parti, le Fidesz, vient tout juste de larguer les amarres du principal groupe de droite au Parlement, celui du Parti populaire européen (PPE), peu de temps avant que celui-ci ne décide de l'en exclure. Manquements à l'« État de droit », oblige. Malgré son caractère inédit, l'initiative se révèle très vite n'être qu'un geste de solidarité envers le chef de l'État Magyar. Il s'agit de démentir son isolement en Europe, et non de franchir un pas vers la constitution d'un véritable groupe unique. Pour preuve : cinq mois plus tard, treize des quinze signataires se retrouvent lors d'un sommet à Varsovie, en Pologne ; il n'accouche que d'une liste de désaccords. Des divergences, qu'ils ne seront plus que neuf chefs de partis à vouloir dépasser lors d'une ultime réunion à Madrid, en janvier 2022. Dont l'échec sera grimé par la signature d'une déclaration commune aux termes vagues…

À l'aube d'une nouvelle législature au Parlement européen, où le nombre d'eurodéputés nationalistes s'annonce sans précédent, les différends idéologiques ou inimitiés entre eux ne sont pas les seuls freins à la constitution d'une grande force commune. La tactique et le fossé stratégique qui séparent chacun des deux groupes y sont au moins pour autant. Si ce n'est plus. Dans leur écrasante majorité, les forces qui constituent le groupe Identité et démocratie (ID) ont profité de l'effacement, à partir de 2015, du clivage entre la droite et la gauche dans leurs pays respectifs comme au niveau européen. Le rapprochement des offres de centre droit et de centre gauche pour former un bloc techno-européen progressiste, leur a permis en tant que forces populistes d'incarner le second bloc charnière de l'échiquier politique ainsi redessiné. Toujours en dynamique dans de nombreux pays, comme aux Pays-Bas, en Allemagne et, bien sûr, en France, il paraît naturel aux forces alliées au Rassemblement national de vouloir unir toutes les forces nationalistes du continent quelles que soient leurs différences, afin de former un bloc unique contre le reste des forces politiques du Parlement européen, incarnant à leurs yeux un même bloc pro-européen à tendance fédéraliste. Un peu sur le modèle du clivage tel qu'il existe en France, entre Emmanuel Macron et Marine Le Pen depuis 2017.

Si elle reconnaît, en creux, avoir fait le deuil d'un grand groupe unique regroupant toutes les forces nationalistes, Marine Le Pen confie ne pas abandonner pour autant cette idée d'une coalition contre toutes les forces pro-européennes et fédéralistes au sein du Parlement européen : « Nous y travaillons toujours et sans relâche. Cet hypothétique très grand groupe n'est finalement pas fondamental. [...] Si nous, les forces nationalistes, votons toutes ensemble, peu importe que nous soyons réunis dans un ou deux groupes. Le résultat sera finalement le même », confiait-elle en marge de ce même déplacement au Portugal, en novembre 2023. Reste que dans le groupe rival des Conservateurs et réformistes européens, c'est une autre logique qui prévaut. Du Vox espagnol, au PiS polonais sans oublier Fratelli d'Italia, la force de la Première ministre Giorgia Meloni, l'opposition entre populistes et « techno-européens » appartient d'ores et déjà au passé. La prégnance des questions identitaires partout en Europe – de la question du genre à la lutte contre l'islamisme ou à la défense des modes de vie traditionnels – a fini d'exhumer le clivage historique entre droite (dont ils se revendiquent) et gauche. Il s'agit moins, pour elles, de faire l'union entre toutes les forces nationalistes au Parlement européen. Que de réconcilier toutes les droites entre elles... Non sans l'espoir, à long terme, d'en prendre la tête...

L'accession au pouvoir de Giorgia Meloni n'a pas été sans conséquences au sein du Parlement européen. Le groupe des Conservateurs et réformistes européens qu'elle dirige ne cesse depuis lors de resserrer ses liens avec le principal groupe de la droite au sein de l'hémicycle de Strasbourg, le PPE. Ses premiers mois au pouvoir, marqués par le respect des institutions européennes et la normalisation de ses relations avec la Commission ont peu à peu levé la plupart des freins à un rapprochement au sein, notamment, des différentes forces chrétiennes-démocrates et libérales européennes. Jusqu'à ce qu'une rencontre ait lieu, en septembre 2022 à Rome, entre la Première ministre italienne et le patron du PPE, Manfred Weber, pour discuter de la perspective d'une éventuelle collaboration entre leurs groupes dans le prochain hémicycle européen. Malgré les critiques internes à son camp, le chef de file de la droite européenne a publiquement exprimé son intérêt pour le modèle de coalition entre les droites en Italie.

Homme de confiance de Giorgia Meloni, le sous-secrétaire d'État à la présidence du Conseil, Giovanbattista Fazzolari ne cache pas, en privé, ses ambitions : « Les prochaines élections européennes sont peut-être les plus importantes depuis très longtemps. Elles peuvent établir une nouvelle majorité unissant le PPE et nous, les Conservateurs européens, avec des conséquences sur la composition même de la prochaine Commission européenne... » Également membre du groupe ECR, le dirigeant des Démocrates de Suède, parti à la tête d'une coalition des droites dans son pays, Matthias Karlsson, ne dit pas autre chose : « Ce que nous faisons en Suède est la preuve que la droite peut-être plus unie et plus constructive. Cela peut être un exemple pour beaucoup de pays européens et advenir même au Parlement européen. » Subsiste un important obstacle à cette alliance des droites au sein du Parlement européen : le caractère répulsif, pour des forces plus modérées, des partis du groupe Identité et démocratie qui continuent d'être traités en pestiférés. « Le seul veto que nous oppose le PPE pour que nous puissions véritablement travailler ensemble, c'est le parti AfD allemand et le RN français », confirme un dirigeant d'ECR, pointant ainsi les deux partis phares du groupe ID.

Lorsqu'il a été constitué au lendemain des élections européennes de 2019, le poids du groupe Identité et démocratie aurait dû, selon les règles en vigueur dans l'institution, lui faire hériter d'au moins une vice-présidence du Parlement et de deux présidences de commission. Il n'en a rien été, la faute à un accord entre les différentes forces au sein de l'hémicycle pour l'en priver. Un cordon sanitaire qui n'a jamais été opposé aux forces d'ECR, groupe historique des Conservateurs britanniques avant qu'ils ne quittent l'Union, et qui détiennent depuis 2019 une vice-présidence du Parlement européen comme la présidence de la névralgique commission du Budget. « Au Parlement européen, vous ne pouvez pas organiser un événement avec un élu du groupe ID. Cela ne se fait pas, c'est tout. En revanche avec un élu ECR, cela marquera un peu votre événement, mais c'est tout à fait accepté », relate un eurodéputé du groupe PPE. « Même chose pour les amendements, quand bien même ce serait pour dire que 2 + 2 est égal à 4, le simple fait de proposer à des élus ID de le signer, aura pour conséquence mécanique le retrait de toutes les signatures de parlementaires d'autres groupes. »

Loin d'œuvrer à la normalisation de leurs homologues nationalistes, les stratèges du groupe ECR s'accommodent très bien de cette marginalisation d'ID et n'hésitent pas à l'utiliser pour mieux se recentrer eux-mêmes. Ce vilain diable leur permet de ne pas eux-mêmes porter les cornes au sein de l'hémicycle européen. « Sur plusieurs sujets, nous arrivons grâce à cela à nouer des alliances avec le PPE et une partie du groupe Renew (centre libéral), reconnaît l'eurodéputé Fratelli d'Italia, Vincenzo Sofo. Nous créons d'importantes opportunités politiques. » Quitte, ensuite, à débaucher dans les rangs du groupe rival les formations politiques pas encore considérées comme infréquentables et en passe d'arriver au pouvoir dans leur pays. Peu après la signature d'un accord de gouvernement et leur arrivée au pouvoir, le Parti des Finlandais a ainsi annoncé quitter le groupe Identité et démocratie, pour rejoindre le groupe ECR. La veille d'un grand rassemblement ID, organisé à Florence en décembre 2023, c'était au tour de l'important allié, Alliance pour l'unité des Roumains (AUR) – crédité à plus de 20 % d'intentions de vote aux européennes dans son pays – d'annoncer son transfert vers ECR. Sans pour autant annuler le discours de son président, George Simion, sur l'estrade populiste du lendemain… « Le vrai problème, c'est que nous n'avons rien à offrir pour faire rester nos alliés, s'étrangle un eurodéputé ID. ECR a un pied dans le système, ils peuvent offrir des présidences de commission, de délégations, nous, nous en sommes incapables puisque considérés comme des pestiférés. »

Malgré sa bonne entente avec Marine Le Pen, le coup de grâce sera venu de Viktor Orbán, lors d'un rare entretien accordé à la presse étrangère[1]. Si le Premier ministre a, une fois de plus, regretté l'absence d'un groupe unique rassemblant toutes les forces nationalistes, celui-ci n'a pas moins révélé le rattachement de son parti, le Fidesz, au groupe des Conservateurs et réformateurs européens. « Avec le parti de Viktor Orbán pour allié, cela veut dire qu'ECR décroche

1. E. Beretta & C. Sapin, Viktor Orbán : « L'Ukraine est l'un des pays les plus corrompus du monde », Paris, *Le Point*, 2023.

mécaniquement trois commissaires européens, trois membres du Conseil européen en plus d'être quasiment assuré de devenir le troisième groupe le plus important du Parlement européen », réagissait une importante huile de l'hémicycle de Strasbourg à la lecture de l'interview : « En termes d'influence, cela change tout. Il va notamment pouvoir peser sur le choix à la présidence de la Commission européenne… » Un scénario qui a également pour conséquence de mettre le Rassemblement national, principale force du groupe Identité et démocratie, face un bien étrange paradoxe. Celui d'être annoncé imbattable en France aux européennes, mais immanquablement parmi les forces les plus isolées dans l'Union. « Si Marine Le Pen gagne en 2027, nous prendrons instantanément la tête d'une quinzaine de pays en Europe, balaye le RN Philippe Olivier. On peut jouer aux billes, mais lorsque nous arriverons au pouvoir, nous mettrons tout le monde K.O. »

11.
Le parlement européen et la « romanisation des barbares »

Manfred Weber est un homme pragmatique. Membre de la CSU depuis sa tendre adolescence, ce Bavarois a préféré les travées du Parlement européen au jeu de la politique nationale allemande. Voilà deux décennies qu'il en arpente l'hémicycle. Dont la dernière comme puissant patron du principal groupe politique en son sein : le Parti populaire européen (PPE). Disciple de l'ancienne chancelière allemande Angela Merkel, le quinquagénaire doit sa longévité à ce tumultueux poste de chef de la droite européenne à une maîtrise sans pareil de l'art de ménager les courants contraires. Capable de voter les sanctions européennes à l'encontre du Premier ministre hongrois Viktor Orbán, il est aussi le premier à le féliciter quelques mois plus tard après sa large réélection à la tête son pays. Qu'importent les craintes et l'animosité que suscite, parmi ses troupes, l'inédite poussée de ces rivaux nationalistes en Europe, il est l'un des premiers à avoir perçu tout l'avantage politique que le PPE pourrait bientôt en tirer. Il était le plus important groupe de l'hémicycle, il va en devenir le principal pivot.

C'est un paradoxe. Si les forces nationalistes devaient être les grandes gagnantes du prochain scrutin européen, c'est pourtant bien la droite traditionnelle qui pourrait en récolter les fruits. Quelles que soient les études, la dynamique est claire. Selon les projections d'Europe elects[1], les nationaux-conservateurs d'ECR et les nationaux-populistes d'ID devraient être les deux groupes à enregistrer la plus forte progression en nombre d'élus dans la nouvelle législature européenne, passant l'un et l'autre de 64 eurodéputés aux environs de 90 élus chacun. Fort heureusement pour la droite classique représentée par le PPE au sein du Parlement européen, il n'y a aucune chance que ces deux forces nationalistes fusionnent et la délogent comme premier groupe de l'hémicycle de Strasbourg. Ce qui aurait été synonyme, sinon d'un passage du Parlement européen sous pavillon nationaliste, du moins d'une rupture avec son histoire telle qu'elle est écrite depuis 1979, année de la première élection du Parlement européen au suffrage universel direct.

Il est un autre élément qui joue incontestablement en faveur de la droite traditionnelle dans l'hémicycle qui vient. Aussi fulgurante qu'elle soit, la progression des forces nationalistes ne leur permettra pas d'imposer au PPE une « Union des droites » comme elles l'ont fait dans nombre d'États membres ces trois dernières années. Même selon le plus généreux des scénarios prévus par les différents instituts de sondages, PPE et

1. M. Garscha, *EU Parliamentary Projection : Le Pen's Right-Wing ID Rises to Third Place*, Oberroßbach, Europe Elects, décembre 2023.

ECR ne peuvent dépasser, à eux seuls, la barre des 300 élus sur les 705 que compte actuellement le Parlement européen. En y additionnant la partie la plus droitière des libéraux, et les quelques nationalistes ID jugés encore fréquentables par la droite classique, la coalition est condamnée à rester bien en deçà des 351 sièges nécessaires pour constituer une majorité absolue. Celle que détient, et continuera de détenir, ce qui est appelé à Strasbourg la « Grande coalition » réunissant outre le PPE, les socialistes du groupe S&D, les libéraux et les centristes du groupe Renew, où siègent notamment les élus d'Emmanuel Macron, soit 60 % de l'hémicycle actuel.

« Nous savons que nous ne pourrons pas dégager de majorité de rechange », reconnaît sous le sceau de l'anonymat une importante huile du groupe ECR au Parlement européen. « Ce sont en réalité les rapports de force et le renforcement de notre position qui sont en jeu dorénavant. » Un constat que partage Giovanni Orsina, professeur à l'université Luiss de Rome : « L'architecture européenne est conçue pour être très délicate à changer. Il y a beaucoup de pays, beaucoup d'institutions et de niveaux de contre-pouvoir. La majorité restera la même. » Mais derrière cette apparente continuité se cache en réalité une véritable révolution.

En entrant en nombre au Parlement européen, les élus nationalistes vont considérablement en déplacer le barycentre. En l'état des projections, la droite au sens large – c'est-à-dire l'ensemble des élus siégeant à la droite des centristes et des libéraux du groupe Renew – représenterait à elle seule plus de 48 % du

Parlement européen. Un poids historique sans précédent, qui promet au Parti populaire européen (PPE), malgré un léger affaissement de son nombre de députés, de jouir vis-à-vis de ses partenaires de gauche et du centre d'un rapport de force inédit. Contrairement à la plupart des régimes parlementaires du continent, le Parlement européen n'est pas dirigé par une coalition stricte à laquelle s'opposerait une opposition figée. Les coalitions évoluent en fonction des sujets discutés. Jusque-là, les 144 élus du groupe socialiste (S&D), les 102 du groupe des libéraux et des centristes (Renew) et les 176 élus de la droite traditionnelle (PPE), s'entendaient le plus souvent. Mais il était également possible que d'autres majorités se forment plus à gauche, c'est-à-dire sans le Parti populaire européen. Ce qui sera beaucoup plus difficilement le cas à l'avenir.

L'analyse fine des textes adoptés entre 2019 et 2023 au Parlement européen par le précieux Groupe d'études géopolitiques de l'École normale supérieure (GEG)[1], le démontre. Les groupes S&D et Renew ont pris part à la majorité dans 93 % des cas. Le groupe PPE dans 82 % des cas. Le groupe des Verts dans 87 % des cas, et celui de la gauche radicale (GUE/NGL) dans 76 % des cas. Seuls les groupes nationalistes apparaissent clairement marginalisés. Le groupe ECR n'a ainsi participé au bloc majoritaire pour 53 % des textes adoptés et le groupe ID, lui, dans seulement 41 % des cas. Cette logique promet d'être totalement bouleversée

1. F. Hublet, M. Lanoë & J. Schleyer, *Le dilemme de la droite européenne : nouvelle Grande Coalition ou majorité national-conservatrice ?*, Paris, Groupe d'études géopolitiques, 2023.

dans le prochain hémicycle européen pour une raison simple. Si les résultats aux élections européennes des 6 et 9 juin prochains confirment les sondages actuels, à défaut d'offrir une majorité alternative au PPE, les forces nationalistes d'ID et d'ECR peuvent constituer, avec lui, une coalition de blocage. C'est-à-dire voter de façon unie contre tout texte issu de la gauche de l'hémicycle, ne laissant qu'aux seuls textes approuvés par le Parti populaire européen une chance réelle d'être adopté.

Une situation jusque-là inédite, d'ores et déjà intériorisée par les stratèges du Parti populaire européen, Manfred Weber en tête. Et qui a pu d'ores et déjà tenté de l'étrenner lors les derniers mois de la mandature européenne précédente. Particulièrement lors des votes dans l'hémicycle européen sur les textes environnementaux, issus du fameux « Pacte vert » européen. Notamment sur le très controversé projet de loi « restauration de la nature », discuté dans l'hémicycle au mois de juillet 2023 et prévoyant de ramener au moins 20 % des terres et des mers dégradées du Vieux Continent à leur état d'origine d'ici à 2030. Pour empêcher son adoption, élus ECR, ID et du PPE auront tous – ou presque – associés leur voix et voté contre. « Il y a eu lors de ce vote, un moment très net de reconstruction du clivage entre droite et gauche », témoigne l'eurodéputé Les Républicains, membre du PPE, François-Xavier Bellamy. « Le texte a finalement été adopté avec seulement 12 voix d'avance. »

Un résultat rarissime pour un vote final au Parlement européen. Au point de provoquer les foudres de l'eurodéputé macroniste Pascal Canfin, membre de Renew et président de la commission environnement à Strasbourg. Ce dernier n'aura pas hésité à dénoncer dans les médias « la stratégie d'alliance nouvelle entre la droite et l'extrême droite, testée par Manfred Weber » et à laquelle il s'agirait, selon lui, de « faire barrage ». Ne manquant que de quelques voix pour faire dérailler ce qui constituait un pilier législatif de la mandature précédente, l'opposition groupée de la droite et des nationalistes ne rencontrera plus aucun obstacle pour faire échouer n'importe quel texte lui déplaisant au lendemain des élections de juin prochain.

Tout en continuant à élaborer les projets de loi avec les élus libéraux et socialistes, le PPE se trouvera ainsi, grâce aux élus nationalistes, en possession d'une arme chargée sur la table des négociations : « Il sera le seul à disposer d'une sorte de droit de veto », analyse le professeur à l'université Luiss de Rome, Giovanni Orsina. « Toute législation qui sera ou trop marquée à gauche, qui n'irait pas suffisamment dans son sens ou qui ne serait finalement pas à son goût, risquera de rencontrer une majorité de blocage dans l'hémicycle. C'est un élément très important de la prochaine législature. » De quoi impacter sensiblement les politiques européennes migratoires, sociétales et surtout environnementales de la prochaine mandature. Un haut gradé du groupe PPE au Parlement européen abonde, au point de savourer avant même la tenue des élections européennes : « Nous n'aurons plus jamais le même centre de gravité que dans le Parlement précédent. Le barycentre va changer en notre faveur. Il n'y aura plus de Frans

Timmermans. » Du nom du premier vice-président travailliste hollandais de la Commission européenne, chargé de l'élaboration du « Pacte vert pour l'Europe » et qui aura braqué nombre d'électeurs conservateurs dans la ruralité.

Si cette alliance « négative » entre droite traditionnelle et nationalistes semble d'ores et déjà acquise, le patron du puissant Parti populaire européen semble cependant avoir quelque chose d'autre en tête. Mais quoi ? Non sans provoquer une certaine irritation dans les rangs de son parti, la CDU, comme quelques grincements de dents au sein de son groupe parlementaire, Manfred Weber est personnellement allé soutenir, en Italie, la coalition menée par Giorgia Meloni lors des législatives de 2022. À ses contempteurs, l'homme a pu opposer, à juste titre, que le parti de Silvio Berlusconi Forza Italia, membre du PPE, en faisait partie. Des justifications, dont il ne se sera plus embarrassé quelques mois plus tard, en allant rencontrer à Rome, en janvier 2023, la nouvelle présidente du Conseil italien, Giorgia Meloni, également cheffe de file de l'ECR, pour discuter de la collaboration future de leurs groupes respectifs dans l'enceinte du prochain hémicycle européen. L'exaspération du porte-parole de la CDU/CSU au Bundestag, Jürgen Hardt, comme les appels à faire barrage aux « groupes néofascistes » du ministre président CSU de Bavière, Markus Söder, n'y auront rien fait. Dans une vidéo publiée en mai 2023, Manfred Weber n'éprouvera nulle gêne à qualifier de « particulièrement intéressant pour le PPE », le modèle de coalition au pouvoir en Italie...

Qu'entendait par là le patron de la droite européenne ? Si la gauche le suspecte volontiers de vouloir importer, au Parlement européen, ce modèle d'« Union des droites » qui partout fait florès sur le continent, nous avons vu que des contingences tant arithmétiques que philosophiques rendent pour l'heure celle-ci impossible. Manfred Weber a en réalité bien d'autres desseins en tête : « Son obsession est d'intégrer le parti de Giorgia Meloni et de tous les nationaux-conservateurs responsables au Parti populaire européen, livre un de ses bras droits au sein de l'hémicycle strasbourgeois. C'est en réalité la vieille doctrine qui a toujours été celle du PPE : absorber avant qu'il ne soit trop tard. Ne rien laisser grandir à notre droite qui puisse devenir une offre majoritaire. C'est comme cela que le PPE est devenu et resté le premier groupe au sein du Parlement européen. Manfred Weber travaille à l'étendre encore pour le rendre ultra-dominant. »

Une stratégie victorieuse qui remonte, en effet, aux années 1990. Imaginée par l'ancien Premier ministre belge devenu président du Parti populaire européen, le chrétien-démocrate Wilfried Martens, elle sera mise en musique par le secrétaire général du PPE, l'habile Klaus Welle[1]. C'est ce dernier qui supervisera, non sans heurt ni polémique, le rattachement du mouvement conservateur français, le Rassemblement pour la République (RPR) à la fin des années 1990. La mécanique est en réalité assez simple. Lorsqu'une force issue de la droite

1. Lire sa chronique : K. WELLE, *Le nouveau visage des droites en Europe et le conservatisme du futur*, Paris, *Le Grand Continent*, 2023.

aux germes anti-système et eurocritiques prend trop d'ampleur, les dirigeants du Parti populaire viennent la trouver en posant un contrat sur la table : « Vous allez entrer au PPE, le camp majoritaire qui compte le plus de chefs de gouvernement et de ministres européens. Vous pèserez, vous aurez davantage d'influence et de capacité d'action que vous n'en avez jamais eu. Vous aurez la respectabilité, la notabilité et accès au plus large réseau européen qui existe », résume un proche de Manfred Weber. « En échange, "*you have to do your homework*"[1] » : « Vous devez ajuster votre doctrine pour devenir pro-européen. »

Un processus de « romanisation des barbares », comme le qualifie avec son sens aiguisé de la formule, le chercheur Giovanni Orsina. L'expression a beau le faire sourire, l'eurodéputé français LR, François-Xavier Bellamy, ne dément pas cette mission civilisatrice : « C'est le service que le PPE doit rendre au projet européen. C'est comme cela qu'il le conçoit en tous les cas. Hormis sa filiation historique, plus grand chose ne différencie aujourd'hui Fratelli d'Italia de Forza Italia à ses grandes heures. Je prends le pari que les Démocrates de Suède, une fois au gouvernement, suivront le même chemin… » Bien évidemment, tous les « barbares » ne peuvent pas prétendre à la « romanisation ».

Manfred Weber, devant ses troupes, a édicté une liste de trois critères sous la forme de trois questions cumulatives : est-ce que ce parti peut être pro-européen ? De quoi écarter, par exemple, le parti hollandais de

1. « Vous devez faire vos devoirs à la maison ».

Geert Wilders, le PVV, qui promouvait il y a encore quelques mois un « Nexit ». Est-ce que ce parti se rallie au concept d'État de droit tel qu'entendu par la Cour de justice de l'Union européenne ? Un critère excluant, aux yeux du PPE, le PiS polonais ou désormais le Fidesz de Viktor Orbán. Enfin, est-ce que ce parti est pro-OTAN et pro-Ukraine ? De quoi fermer définitivement la porte à une formation telle que le Rassemblement national, en France.

Parallèlement à cette ambition de « digestion » sur sa droite, le Parti populaire européen ne s'interdit pas, bien au contraire, d'aller chercher dans les rangs des formations aujourd'hui membres du groupe des centristes et libéraux européens, Renew, jugés compatibles. Tel que le parti libéral-démocrate allemand (FDP), l'Union sauvez la Roumaine (USR) ou le Parti du centre suédois. « Toute la question est de savoir si au lendemain des élections, le pragmatisme va l'emporter ou, au contraire, l'idéologie du cordon sanitaire, témoigne une huile du groupe PPE. Ce qui est certain, c'est que nous ne resterons pas le premier groupe du Parlement européen si nos alliés italiens restent Forza Italia. » Subsiste un léger grain de sable dans ces ambitieux plans du grand groupe de la droite européenne : Pour s'unir, encore faut-il être deux. Or si le nouveau Premier ministre tchèque, Petr Fiala, et son Parti démocratique civique (ODS), jusque-là membre du groupe ECR, semblent à l'heure où ces lignes sont écrites succomber aux sirènes du PPE, tel n'est pas le cas de Giorgia Meloni.

« Cela ne se produira jamais », table le fin connaisseur de la politique italienne, Giovanni Orsina. « L'idée de l'orgueil barbare est quelque chose de très fort chez Giorgia Meloni. Si elle peut donner des gages aux institutions européennes, elle veut rester barbare. Elle l'a dit d'ailleurs plusieurs fois depuis son élection : "Je ne changerai pas, je demeure ce que j'étais". » Présidente du parti des Conservateurs et des réformistes européens depuis 2020, dont les membres connaissent une importante dynamique partout en Europe, l'Italienne est jalouse de son indépendance et de sa capacité à déterminer sa propre ligne politique et stratégique.

Bien qu'inatteignable dans un futur proche, l'horizon que dessine la Présidente du Conseil italien pour sa famille nationale-conservatrice est, comme elle l'a réalisé en Italie, de s'allier avec la droite classique avec l'idée d'un jour la supplanter. « Le prochain scrutin européen peut réserver nombre de surprises, piaffe l'eurodéputé Fratelli d'Italia, Vincenzo Sofo. Si les partis de droite classique, Forza Italia en Italie et Les Républicains en France, ne parviennent pas à faire élire d'eurodéputés au Parlement européen, cela voudra dire que le groupe PPE n'a plus de représentants de deux des quatre principaux pays européens dans ses rangs. Cela induirait un bouleversement politique qui changerait beaucoup de choses… » Rome est bien tombée un jour.

Conclusion
L'Europe nationaliste qui vient

Si elle est stimulante, la tentative de prédiction politique est aussi vaine qu'imprudente. Les infinis facteurs, leurs poids respectifs sur le cours des événements, toujours, nous échappent. Il n'en demeure pas moins qu'au terme de ce modeste périple à travers les différents nationalismes européens, une conviction se dégage : en pleine mutation, les forces nationalistes sont là pour durer et rien ne les empêche plus de s'essayer au délicat exercice du pouvoir. Leur « diabolisation », par leur assimilation aux totalitarismes génocidaires du XXe siècle notamment, qui justifiait jadis leur ostracisation politique, a perdu irrémédiablement de son acuité et de son efficacité.

Dans le même temps, la faillite des partis traditionnels à apporter des réponses pérennes à la question de l'immigration, la prééminence nouvelle des enjeux identitaires dans les sociétés européennes, comme la polarisation naissante sur la fondamentale question environnementale, apparaissent comme autant de vecteurs de croissance du vote nationaliste. Sans que rien, dans les circonstances sociopolitiques actuelles, ne puisse laisser penser que ceux-ci vont perdre en vélocité. Bien au contraire.

Si leur marginalité a pu attirer à elles des individus d'une radicalité certaine, aucune des forces nationalistes étudiées n'est porteuse d'un programme anti-démocratique à vocation totalitaire ou fasciste tel que les définit l'historien de référence Emilio Gentile. La thèse d'un retour aux années 1930 n'est pas seulement saugrenue, elle est insoutenable. Il n'empêche. En Europe l'heure est bel et bien au nationalisme. Jadis populistes, les partis nationalistes se bornaient à être des forces de contestation portées par les seules classes populaires. Un socle électoral puissant, bien que le plus souvent insuffisant pour accéder au pouvoir.

Leur maturation ces dix dernières années, par l'abandon de leur euroscepticisme historique au bénéficie d'un « techno-souverainisme », par la patiente construction d'une crédibilité économique et institutionnelle sans abandonner pour autant leur socle idéologique identitaire, a fini par adjoindre à leur socle électoral populaire, les classes aisées et plus âgées issues des droites traditionnelles. Une union susceptible, désormais, non seulement de leur faire remporter les élections mais d'exercer les plus hautes responsabilités. Comme en Italie, en Finlande, en Suède, en Hongrie, aux Pays-Bas, en Slovaquie, en République tchèque, hier en Pologne et demain peut-être en Autriche ou en France.

Il existe pourtant des situations où les forces nationalistes voient leur poussée contenue, voire tout à fait stoppée. C'est par exemple le cas au Danemark où, en prenant à bras le corps le sujet de l'immigration et en adoptant l'une des législations les plus restrictives d'Europe, le Parti social-démocrate est parvenu non seulement à se maintenir au pouvoir, mais à rejeter dans les marges politiques les forces nationalistes. C'est également le pari du nouveau parti de gauche anti-immigration en Allemagne fondé par l'ancienne vice-présidente de Die Linke, « Pour la raison et la justice ».

Lorsqu'ils atteignent encore une taille critique suffisante, les partis de droite classique, en durcissant leurs positions et en épousant les thématiques identitaires de leurs rivales nationalistes, semblent également parvenir à brider leur dynamique. Ce fut le cas en Espagne, lors des dernières élections législatives. Si ni Forza Italia en Italie, ni le parti Les Républicains en France n'y sont parvenus, il sera intéressant d'observer les fruits de cette même stratégie, en Allemagne, telle qu'elle est poursuivie contre les nationalistes de l'AfD par les chrétiens-démocrates de la CDU, de loin première force politique du pays.

Reste un ultime vecteur d'usure des partis nationalistes. Peut-être le plus évident. Celui qu'induit l'exercice du pouvoir. Après neuf ans à la tête de l'État, le parti national-conservateur Droit et justice (PiS) polonais a perdu sa majorité lors des dernières élections législatives dans le pays. Un échec certain, mais qui démontre d'une certaine façon à ses contempteurs que toute nationaliste qu'elle soit, cette formation s'inscrit bien dans un processus démocratique. Hégémonique aujourd'hui sur la scène politique italienne, Giorgia Meloni et sa formation Fratelli d'Italia, s'ils n'apportent pas de solutions aux maux qui les ont fait élire, seront immanquablement boutés hors du pouvoir par les urnes.

L'alternance se voulant, ici, le dernier clou dans le cercueil de la « diabolisation » et la démonstration de la « normalisation » définitive des forces nationalistes en Europe.

Peut-être, alors, que le débat politique ne sera plus réduit à l'affrontement entre « gentils » et « méchants », « cercle de la raison » contre « ceux à qui on aurait mal expliqué ». Comme s'il n'existait qu'un seul bord digne d'être écouté et légitime à d'défendu. Ce mirage d'une « fin des clivages » qui n'a jamais autant crispé, polarisé et semé de violences dans nos démocraties devenues malades.

Remerciements

Ce livre est né d'une opportunité. De celle que le magazine *Le Point* est peut-être l'un des derniers journaux à pouvoir offrir : parcourir l'Europe, y réaliser des reportages de trois, quatre jours, parfois une semaine, en s'offrant le luxe de s'extraire de l'actualité immédiate pour tenter de comprendre, questionner, vérifier ce qu'il se passe autour de nous. Merci infiniment à cette belle et grande maison de montrer, chaque semaine, que l'image d'Épinal du journaliste-reporter n'existe pas qu'en sépia.

Merci à sa directrice, Valérie Toranian comme à son pacha, Étienne Gernelle, pour leur confiance. Au patron du service international, Luc de Barochez, pour son exigence et sa bienveillance, restées intactes depuis mes débuts à l'*Opinion*. Merci aux chefs du service Politique, Mathilde Siraud et Jérôme Cordelier, pour leur appui.

Merci à mes éditeurs, Jean-François Colosimo, sans la curiosité duquel ce projet n'aurait sans doute jamais vu le jour, et Antoine Cargoet, pour sa relecture attentive et ses fines observations.

Il est des rencontres et des conversations sans lesquelles ce livre ne serait pas ce qu'il est. Merci tout particulièrement à Hanna Corsini, Jean-Yves Camus, Jean-Yves Dormagen et Giovanni Orsina pour leurs recherches, nos nombreux échanges et leurs précieuses lumières.

Merci à Quentin Raverdy, le plus Romain des Français, qui m'a ouvert les portes les plus calfeutrées de la cité éternelle. Merci à Sébastien Leban, pour son œil incroyable et nos traques hongroises. Merci à Pierre Crom, sans lequel, je serais très certainement encore perdu, quelque part, au beau milieu de la campagne hollandaise.

Et bien sûr merci à toi, Héloïse, qui aura été une fois encore ma plus exigeante relectrice et ma plus grande source de réconfort.

Table des matières